D1095894

JEAN GENET

Lettres à Ibis

Présentation et notes
de Jacques Plainemaison

l'arbalète gallimard

l'arbalète
collection dirigée
par Thomas Simonnet

Cahier iconographique :
Collection Jacques Plainemaison pour l'ensemble des documents
à l'exception de la photographie de Michel Vieuchange (Médiathèque de Nevers).

Présentation

Qui est le futur auteur du *Journal du voleur* quand commence la correspondance avec Ibis ? Après avoir passé deux ans et demi à la Colonie agricole et pénitentiaire de Mettray, en Indre-et-Loire, il a souscrit un premier engagement de deux ans dans l'armée, au cours duquel il a passé presque un an en Syrie. En juin 1931, il a souscrit un nouvel engagement de deux ans. Envoyé au Maroc, il a pris part à des opérations dites de « pacification ». Au mois d'avril 1933, il vient d'être affecté à Toul, en Meurthe-et-Moselle, et bénéficie d'une permission libérable. Jean Genet et sa correspondante n'ont guère plus de vingt-deux ans.

Les lettres des années 1930 révèlent un jeune homme qui, sous des airs d'affranchi (le « blédard » qui n'a pas hésité à tuer des Chleuhs[1]), est fragile et solitaire, très centré sur lui-même : « je n'arrive qu'à m'intéresser à moi » (lettre 2), mais aimant, affectueux, enthousiaste, vivant beaucoup par l'imagination, guère différent en somme de ce qu'on appelle un

---

1. Voir lettre 1 et la *Lettre à Ibis*.

«gentil garçon». Nous sommes tenté d'appliquer au jeune Genet les termes de «tendresse», «gentillesse», «vulnérabilité», employés à propos de Lucien dans *Journal du voleur*[1]. Mais il manquerait quelque chose à ce portrait si nous n'ajoutions pas que Genet se manifeste déjà dans cette correspondance, au travers de ses expériences, comme un moraliste. Il est vrai que la personnalité de sa correspondante, Andrée Plainemaison, *alias* Pragane ou Ibis, dont nous n'avons pas les lettres, a dû avoir une influence non négligeable sur son attitude, même si les deux jeunes gens avaient le même âge, Ibis étant née le 7 octobre 1910 et Genet le 19 décembre de la même année : en particulier, on peut conjecturer à partir des lettres de Genet qu'Ibis n'a pas hésité à lui parler de la Vie, de la Vraie Vie[2] (lettres 2, 11, 13). Alors qu'il «hante un couvent de Jésuites[3]» à Marseille, en 1933, Genet est l'objet d'une tentative de conversion de la part d'un père jésuite, à laquelle il ne paraît pas être resté indifférent (lettres 8, 10, 11), réaction qui annonce ce qu'il écrira quelques années plus tard, dans une lettre à Anne Bloch : «L'idéal religieux est peut-être d'ailleurs celui qui m'a le plus ébranlé[4].»

Mais ce qui frappe surtout, c'est l'intérêt – disons même la passion – qu'il manifeste pour l'écriture. Alors qu'il est visiblement sous l'emprise de ses lectures au début de cette

1. Gallimard, 1949, p. 176.
2. Lexique qui, pour Ibis, avait un sens : «Je puis vous aider à faire jaillir la Vie en vous et ainsi vous aider à transmuter ce qui est existence en ce qui est Vie.» (Lettre de Vivian du Mas à Ibis, 1er juillet 1931.)
3. Lettre 8.
4. *Chère Madame. 6 Briefe aus Brünn Herausgegeben von Friedrich Flemming* [6 lettres de Brno éditées par Friedrich Flemming], Hamburg, Merlin Verlag, 1989, p. 27.

correspondance, on le voit peu à peu s'en affranchir pour trouver une manière personnelle. À travers ses lettres, plus encore à travers les deux états (ou versions) du projet d'article intitulé par Genet lui-même *Lettre à Ibis*, titre dans lequel le mot « lettre » renvoie à un procédé littéraire[1], parfois avec une conscience amusée[2] et une liberté de style pleine d'entrain[3], Genet se forge un style.

On trouvera ci-dessous des lettres ou cartes postales de Genet, numérotées de 1 à 21, un fragment de journal intime entre les lettres 1 et 2 et, entre les lettres 4 et 5, la véritable *œuvre littéraire* que constitue la *Lettre à Ibis*. Les pièces de ce dossier n'étant presque jamais datées (et les enveloppes n'ayant pas été conservées), leur ordre est un ordre reconstitué, que nous ne donnons pas pour sûr. Comme on va le voir, la plus grande partie du dossier est largement antérieure à la Seconde Guerre mondiale (de 1933 à 1936), les lettres 16 à 20 se situent après la fin de cette guerre (en 1947 et 1948) et sont l'expression de la fidélité de Genet, désormais connu, à son amitié avec Ibis, tandis que la dernière lettre, qui porte le numéro 21, nous a été adressée en 1984, après la mort d'Ibis.

Ibis a-t-elle gardé et même reçu toutes les lettres que Genet lui a adressées ? Rien n'est moins sûr à cause, en particulier, du voyage d'Ibis en Égypte et au Liban en 1933-1934 et de

1. « Au bazar des techniques romanesques, chacun peut puiser selon sa fantaisie » (Michel Raimond, *Le roman*, Paris, Armand Colin, « Cursus », 1988, p. 16).
2. « oh ! oh ! du lyrisme ! », « Je pédantise » ou encore : « Quelle chateaubriandise que voilà donc ! » (lettre 9).
3. Voir dans la même lettre ce que Genet appelle ses « tours styliques ».

ses nombreux déménagements à l'intérieur de Paris jusqu'à son installation en Provence, en 1944.

La rencontre entre Genet et Ibis s'est faite autour du journal *Jeunes,* sans qu'on sache dans quelles circonstances précises.

Le n° 1 de *Jeunes* parut le vendredi 20 janvier 1933, sur 8 pages, de format approximatif 32 × 45 cm, avec en bandeau les noms des directeurs : Pragane et Jean Walla.

Dès ce premier numéro, *Jeunes* se révèle être un hebdomadaire pacifiste, féministe, anarchiste au sens large : rejet des principes, des codes, il s'agit d'être soi-même, libre..., d'inspiration spiritualiste enfin. Toute la dernière page est un manifeste de l'« Internationale Jeune », dont le siège est le même que celui de l'hebdomadaire *Jeunes* (17 rue Treilhard, Paris VIIIᵉ). Cette Internationale Jeune « a pour but de coopérer à l'instauration dans le monde de la civilisation nouvelle, essentiellement spirituelle ». *Jeunes* lance un appel à la Révolution mondiale et, à partir du numéro suivant, daté du lundi 20 février, se déclare européen, avant de s'affirmer dans son dernier numéro nettement antifasciste. Ses collaborateurs attitrés sont, en plus des deux directeurs (Andrée Plainemaison dite Pragane signe tantôt « Pragane », tantôt « Ibis »), Raymond (dit Ram) Rischmann, Jeanne Canudo, Vivian du Mas[1], Simone Harmel... Sous ses deux pseudo-

---

1. Sur ces deux derniers collaborateurs, à l'origine des États généraux de la jeunesse en 1934, tous deux membres de la Société théosophique, on pourra consulter Arche, « Le complot synarchique », *Revue de l'Ordre martiniste traditionnel,* n° 9, janvier 2001, p. 32-38, ou la première partie de l'autobiographie de l'éditeur Maurice Girodias intitulée *Une journée sur la terre* (Paris, Stock, 1977) qui, dans l'appartement occupé alors par V. du Mas

nymes au moins, Andrée Plainemaison se montre particulièrement présente, notamment par ses articles concernant la danse (la danseuse indienne Nyota Inyoka), le cinéma (le film américain *Je suis un évadé*, avec Paul Muni), le théâtre (le «laboratoire de théâtre» Art et Action, fondé et animé par Édouard Autant et Louise Lara[1])... Chaque numéro de *Jeunes* reproduit un tableau de peintre : dans l'ordre, *Réveil* de Nicolas Gvosdeff[2], *Tête d'homme* de Manuel Rendon, *Nature morte* de Severini et *Le Masque bleu* de Metzinger, un peintre nantais, soit quatre peintres représentant quatre nationalités ou origines différentes, dont le choix manifeste l'idéal universaliste du journal.

Aux noms des deux directeurs fut adjoint à partir du n° 2 celui d'un rédacteur en chef : S. Harmel. Le n° 3 parut le dimanche 19 mars 1933, le n° 4 – d'où l'indication «hebdomadaire» avait disparu – le dimanche 9 avril. Il n'y eut pas d'autre numéro.

De ce journal, Genet s'est fait le démarcheur, c'est pour lui qu'il écrira la *Lettre à Ibis*, consacrée aux carnets de route de Michel Vieuchange, autrement dit *Smara*, livre publié l'année précédente avec une préface de Paul Claudel[3], que,

---

et J. Canudo boulevard Saint-Germain, rencontra Laurette, sa future femme et, tout au long de la vie d'Ibis, l'une de ses amies les plus proches.

1. «Avec une scène minuscule, des décors de rien, des artistes non professionnels, Art et Action réalise ce prodige de «faire quelque chose», écrit Ibis (n° 4 de *Jeunes*).

2. Peut-être s'agit-il du Nikki dont il est question par la suite (note 6 de la lettre 5).

3. *Smara* fut publié à Paris, chez Plon, en 1932. Le livre était composé des carnets de route de Michel Vieuchange chez les dissidents du Sud marocain et du Rio de Oro, précédés d'une préface de Paul Claudel et augmentés d'une introduction, d'une postface et d'appendices de Jean

ayant cessé de paraître, *Jeunes* ne publiera pas et qui, à notre connaissance, est la *première* œuvre littéraire, faisant se succéder prose et vers, de Jean Genet[1].

Vieuchange, le frère de Michel. Il comportait, outre 53 photographies et un index, une carte établie à partir des itinéraires relevés par Michel Vieuchange entre le 11 septembre et le 16 novembre 1930, durée de la reconnaissance ou «raid» qu'il effectua jusqu'à l'oasis de Smara.

Né en 1904, Michel Vieuchange est, au moment où se forme le projet de cette exploration qui le conduira jusqu'à Smara, un jeune homme qui a reçu une éducation chrétienne, a fait des études de lettres et a des projets littéraires. En 1923, il est allé en Grèce, d'où il est revenu ébloui. Après son service militaire, qu'il effectue au Maroc (voir *Lettre à Ibis*), il se libère des influences classiques de sa jeunesse par la lecture de Rimbaud, Nietzsche, Gide, Claudel… Désormais dégoûté des valeurs de la famille, de la patrie, de la religion, il décide de se tourner vers l'action : «Une soif irrésistible d'action me dévore», écrit-il (Introduction, p. XI). Il éprouve le besoin de «s'appliquer à un acte difficile qui l'engage tout entier, corps et âme» (Jean Vieuchange à propos de Michel, *ibid.*, p. XII). Or, «à deux pas du Maroc qui, déjà connu de Michel, peut nous servir de base, il y a une carte à préciser, une ville à reconnaître, malgré l'hostilité des hommes et du désert : l'occasion d'un effort et d'un danger» (*ibid.*, p. XVI). Une fois engagé dans l'action, «dans l'acte même où tout est pur» (*Smara*, p. 50), Michel Vieuchange goûtera la joie de «se sentir enfin dedans, au cœur même» : «La tête éclate de joie, malgré la souffrance, les courbatures, le soleil, la soif» (*ibid.*, p. 121).

Le 1er novembre, il entrera dans Smara. Il y restera moins de trois heures, chassé brutalement par la peur qu'éprouvent ses compagnons : «Je n'ai pas même pu jeter un dernier regard vers la ville», regrette-t-il (*ibid.*, p. 193). Pendant le voyage de retour, il songe à «d'autres captures à faire, d'autres chasses à entreprendre, d'autres conquêtes où se lancer» (*ibid.*, p. 223) mais, terrassé par la dysenterie, il mourra à Agadir le 30 novembre. Voir notre communication au colloque international *Poétique et imaginaire du désert*, Montpellier, 19-22 mars 2002, «Smara. Carnets de route de Michel Vieuchange : un itinéraire initiatique», in Jean-François Durand (sous la direction de), *Poétique et imaginaire du désert*, Montpellier, Publications de l'université Montpellier III, 2005, p. 129-137.

1. C'est seulement neuf années plus tard, en 1942 – Genet est alors

En plus du groupe de *Jeunes,* un autre groupe ou cercle d'amis, plus bohème, fréquentant les cafés, a attiré Genet à cette époque. Le lien entre les deux groupes, c'est Ibis.

Dans les lettres qu'il a adressées à Ibis entre le 16 octobre 1933 et le 27 novembre 1941 (une lettre ne comporte aucune date), Robert Guilbaud, né à Nantes en 1906, parle d'un «groupe» de «gens érudits (?) rencontrés à Montparnasse et au Quartier [latin]», auquel appartiennent le peintre et poète Camille Bryen et plusieurs autres personnes (voir lettre 6, note 1). Citons, outre Guilbaud, avec qui Genet correspond, et Ibis, Jacques Villeméjane, un occultiste, Ginette, dont Genet parle dans les lettres 5 et 9, le peintre d'origine russe Nicolas Gvosdeff (ou Gvosdieff), Louis Charpentier dit Johé[1], auteur en 1933 d'un *François Villon. Le Personnage* (Paris, La Caravelle), qui, lui-même, conservera des liens avec Moreau et Paille, deux autres membres du «groupe», au moins jusqu'à la guerre, Jean Carteret et Armel le Guern[2].

Robert Guilbaud avait pris une inscription à la Sorbonne,

---

incarcéré à Fresnes –, qu'est publié *Le condamné à mort,* œuvre considérée jusqu'à présent comme la première du poète.

1. L'ami d'Ibis, avec qui elle entreprendra son voyage en Égypte et au Liban en 1933.

2. Sur ces deux derniers personnages, proches de Camille Bryen, si Armel le Guern et Armel Guerne sont une seule et même personne, on se reportera à *Camille Bryen à revers,* ouvrage édité à l'occasion de l'exposition organisée au musée des Beaux-Arts de Nantes, du 31 octobre 1997 au 30 mars 1998, pour la présentation du fonds Camille Bryen déposé dans cet établissement par la Fondation Camille Bryen, sous l'égide de la Fondation de France, Paris, éditions d'art Somogy, et Nantes, musée des Beaux-Arts, 1997.

pour y étudier la philosophie, à la rentrée 1933. Il y suivait les cours de Delacroix, animateur du Groupe d'études psychologiques devant lequel Camille Bryen est intervenu au moins deux fois (lettre 6, note 1). Ses lettres sont celles d'un homme cultivé, s'intéressant aussi bien à l'art et à la littérature qu'à la philosophie et aimant la musique. Le 8 novembre 1933, il écrit qu'il doit être présenté à l'écrivain Panaït Istrati la semaine suivante. À sa correspondante, il donne son opinion sur ses lectures avec discernement et sensibilité. Dans sa lettre du 2 mars 1934, il mentionne ses projets littéraires: reprise d'une étude sur les conteurs allemands romantiques, un roman, une pièce de théâtre…

À partir de 1938, Guilbaud est à Djibouti, où il se trouve mobilisé en 1940. Il y est encore à la fin de l'année 1941, date à partir de laquelle, après avoir demandé à Ibis : « Aimez-moi bien », il disparaît de sa vie sans laisser de trace et sans que nous connaissions la cause de l'interruption d'une correspondance fidèlement entretenue jusque-là.

Andrée Plainemaison
dite Pragane, dite Ibis

Andrée est née à Limoges le 7 octobre 1910. Son père est fabricant de porcelaines dans la capitale limousine. Sa mère, issue d'une famille bourgeoise de Saint-Léonard, est une femme passionnée, intelligente, instinctive. Andrée reçoit une éducation bourgeoise ; elle fait ses études dans une école religieuse. Elle réussit au baccalauréat en 1927.

Après cette enfance sans histoire – au moins en apparence –, non dépourvue d'un certain mysticisme chez Andrée, la jeune fille fait un séjour en Suisse. À vingt ans, elle met au monde un fils, naissance qui entraîne le départ de Limoges de ses parents, voulant ainsi éviter l'opprobre à leur fille. Ils s'installent à Paris et vont élever ce petit-fils.

En 1931, Andrée obtient le diplôme de maîtresse de gymnastique, certificat d'aptitude à l'enseignement de la gymnastique (degré élémentaire), qu'elle a préparé à La Palestra, collège gymnique créé par Georges Hébert, adepte de la méthode naturelle et fondateur de l'« hébertisme », à Deauville.

*

Ibis – c'est ainsi que ses amis désormais l'appellent – va vivre à Paris jusqu'en 1944. L'ibis est l'animal choisi comme totem, c'est-à-dire comme nom scout, par ou pour Andrée Plainemaison, qui, membre de la Société théosophique en 1931, fit partie en 1931 et en 1932 des Escoutes, mouvement universaliste inspiré à la fois par le scoutisme et par la théosophie et animé par le théosophe Vivian [Postel] du Mas. Jeunes gens et jeunes filles se réunissaient ensemble au camp-école du Grand-Veneur, au Vésinet, près de Paris, et au bord du lac de Cazaux, dans le département de la Gironde.

À Paris, Ibis connaîtra successivement la bohème et la guerre. Elle fréquente Montparnasse et, sauf pendant la guerre, manque d'argent. Elle croit en l'Art et, sous le nom d'Andrée Pragane, comme plusieurs de ses amis d'alors elle se dit « artiste », terme qui implique une certaine polyvalence d'intérêts, de talents : après avoir appris le piano dans sa jeunesse, elle s'essaie à la peinture et surtout écrit et fait de la danse[1]. En 1941 a été publié sous son nom d'auteur *Le livre de Petit Jacques*, un recueil de contes. Comme danseuse, Andrée Pragane fait partie du groupe constitué par Heinz Finkel, un compositeur et danseur juif allemand réfugié à Paris, qui devra se cacher et renoncer à la danse pendant l'Occupation[2]. Elle apprend alors les claquettes sous la direction de

1. En 1936, elle cotise comme « artiste peintre » à une caisse de prévoyance et de solidarité et est membre actif d'un Cercle d'études artistiques, dont elle a peut-être exercé la fonction de président, pour l'année 1939.
2. Sur H. Finkel et sur Ludolf Schild, un autre danseur du groupe, on pourra consulter Jacqueline Robinson, *L'aventure de la danse moderne en France (1920-1970)*, Paris, Bougé, « Sources », 1990, p. 127-132 et *passim*.

Howard Vernon, que le film *Le silence de la mer* (1948), tiré d'un roman de Vercors, fera connaître comme acteur dans le rôle de l'officier allemand, et se met à donner des leçons de claquettes «de 9 heures du matin à 8 heures du soir», si bien qu'elle «gagne de l'argent»: «C'est si nouveau, si inattendu que j'ai peine à y croire» (janvier 1943[1]).

C'est pendant cette première période parisienne qu'Ibis crée un journal éphémère, *Jeunes* – beaucoup plus tard, un ami évoquera la jeune femme proposant *Jeunes* de table en table à La Rotonde et au Dôme, les cafés du carrefour Vavin, et accomplit sans argent un voyage en Égypte et au Liban entre le 16 septembre 1933 et le 18 avril 1934.

*

De 1944 à 1953, Ibis va vivre chez une amie à Château-neuf-le-Rouge, près d'Aix-en-Provence. Elle connaît alors le confort car, dans le château dans lequel elle habite, il y a, du moins au début, femme de chambre, cuisinière et chauffeur. Elle fait venir près d'elle son fils, qu'elle met en pension à Aix-en-Provence. Pendant cette période, Ibis continue à écrire et à danser. À ces activités artistiques, elle ajoute la poterie, apprise auprès d'un céramiste aixois, Carlos Fernandez.

À *Neuf contes* (1944) vont succéder *Manouraïm le conteur* (1946) et *Visages d'enfants* (1946), trois recueils de contes illustrés par Ram Rischmann. Puis viendra *Le livre de Petit Thomas* (1949, rééd. 1954), illustré par André Margat. Ce

---

1. Toutes les citations non explicitement attribuées sont ici emprun-tées aux journaux tenus par Ibis.

livre est l'« enfance » de Thomas, un chien bull bringé, dont Johé, un ami de toujours, a fait don à Ibis.

Ibis donne quelques récitals de danse à Paris, à Aix-en-Provence.

À Châteauneuf, elle reçoit des amis : Johé, Howard Vernon, André Margat, Jean Genet, à qui elle propose un bouledogue français (voir lettre 17)... Elle fait la connaissance de l'architecte Fernand Pouillon, de l'illustrateur André Collot, de l'écrivain Jacques Perret[1]...

Cette vie relativement dorée – Ibis voit ses besoins satisfaits mais manque de liberté – se termine par une rupture en 1953. Ibis quitte alors la Provence pour Paris, où elle se retrouve sans domicile, sans travail et sans argent.

*

Ce retour à Paris après dix ans d'absence est particulièrement difficile. C'est sans doute de ce moment que date une lettre de Johé, alors à Tanger : à Ibis, qui cherche du travail, il suggère de « tenter quelque chose du côté des journaux féminins » car « vos livres et le conte dans l'*Illustration*[2] devraient être une recommandation suffisante ». Il enchaîne : « Pour les copains, je ne sais trop qui, à Paris, pourrait vous glisser des tuyaux, sauf Perret et Margat et Genet. »

Ibis opère alors un autre retour : un retour sur elle-même. Elle va chercher, pour vivre, à donner des leçons de danse, spécialement aux enfants. Spirituellement, elle retrouve la

---

1. Prix Interallié 1951, auteur notamment de *Le caporal épinglé* (1947).
2. Voir à la suite « Œuvres d'Andrée Pragane ».

foi de sa jeunesse, la foi catholique. C'est de « ce nouveau départ » que ses amis Juliette et Georges Hacquard, dont nous avons sollicité le témoignage, parlent quand ils écrivent : « Désormais, elle poursuivra avec patience la quête d'une lumière porteuse de sagesse, au-delà des êtres et des choses. » Ce qu'Andrée (ses nouveaux amis l'appellent plutôt ainsi) recherche dans la religion et ailleurs, c'est, au-delà des dogmes, le sentiment d'une présence donnant sens à la vie.

Ses dernières œuvres publiées portent la trace de cette évolution. Ce sont *Ma peur est ma lumière* (1972) et *Une poignée de cendre* (1976), deux romans.

Quand elle meurt d'un cancer du poumon en 1978, Andrée travaillait depuis 1964 à l'École alsacienne, à Paris, dont le directeur, Georges Hacquard, lui avait confié une mission de coordination pour une expérience de télévision en circuit fermé. Elle qui ne croyait pas à la bonté de la nature humaine[1] s'apercevra pendant sa maladie que l'homme – en l'occurrence ses amis d'alors, et notamment ses collègues de l'École alsacienne – n'est pas si médiocre et surtout si incapable de s'intéresser à son prochain qu'elle l'avait toujours cru : ce fut à la fois la révélation et la consolation de sa fin de vie.

---

1. Au début d'un roman à la première personne non publié – *Abadie* –, dont la rédaction se situe autour de l'année 1952, Andrée Pragane avouait, alors que « le seul véritable problème de l'existence » est celui des rapports humains, des « relations humaines », ne pas aimer les hommes, ses semblables.

ŒUVRES D'ANDRÉE PRAGANE

Plusieurs articles sous le nom de Pragane ou d'Ibis dans *Jeunes* entre le 20 janvier et le 9 avril 1933.

« Histoire d'un tailleur de pierres. Nouvelle inédite par Pragane », *Nouveauté*, n° 53, 31 décembre 1939, p. 6-7.

Le livre de Petit Jacques, Paris, Jean-Renard, 1941.

Neuf contes. Illustrations de Ram Rischmann. Paris, P.-A. Chavane & Cie, 1944.

Manouraïm le conteur, huit contes illustrés par Ram Rischmann. Paris, Montjoie, 1946.

Visages d'enfants. Eaux-fortes originales & illustrations de Ram Rischmann gravées sur bois par Jean-Vital Prost. Paris, Le Jaquemart, 1946. 220 exemplaires, tous numérotés.

Le livre de Petit Thomas. Illustré de bois gravés originaux par André Margat. Paris, Le Jaquemart, 1949. Édition originale tirée à 95 exemplaires, tous numérotés. Édition courante chez l'auteur, en 1954.

« Merlin ou les contes perdus ». Illustrations et hors-texte de Jean Reschofsky. *France-Illustration. Le Monde illustré*, numéro de Noël 1950 (n° 268), 2 décembre 1950.

Ma peur est ma lumière, Paris, Mercure de France, « En direct », 1972.

Une poignée de cendre. Récit. Paris, Millas-Martin, 1976.

Note sur la présente édition

Les lettres et documents reproduits ici constituent l'intégralité des écrits de Jean Genet trouvés rassemblés dans les papiers d'Andrée Plainemaison après sa mort, en 1978.

Nous les avons transcrits très fidèlement, en renonçant par principe à toute correction, si ce n'est orthographique : c'est ainsi que, pour ne pas dérouter le lecteur, la graphie « plutard » a été corrigée en « plus tard », la graphie originale étant signalée en note. De même, la graphie correcte « Guilbaud », nom d'un ami d'Ibis et de Genet, a été substituée dans le texte à la graphie fautive « Guilbault », dont l'emploi par Genet a été chaque fois signalé en note.

Aucune des lettres n'a été datée par Genet, à l'exception de la dernière, qui nous a été adressée après la mort d'Ibis ; nous avons cependant indiqué une date quand des éléments matériels (par exemple, le cachet de la poste) ou des éléments de cohérence interne permettaient de le faire, et seulement dans ce cas.

Le souci de la chronologie, même si elle a été reconstituée par nous, fait qu'on trouvera le fragment de journal intime entre les lettres 1 et 2 et, entre les lettres 4 et 5, la

Lettre à Ibis proprement dite – c'est-à-dire intitulée ainsi par Genet lui-même –, dont un premier état figure en annexe.

Dans les notes, nous avons cherché à éclairer le texte de l'intérieur, à partir des questions qu'il pose ou peut poser. Les *Lettres à Ibis* constituent en soi un document et doivent être traitées comme tel. Par le rapprochement avec d'autres documents, le spécialiste pourra tirer des conclusions, mais ce n'est pas à l'éditeur du document de le faire. Ce dernier, en revanche, doit s'efforcer de reconstituer, autant que faire se peut, le milieu dans lequel ces lettres ont été écrites : la personnalité de la correspondante de Genet, des précisions au sujet de l'hebdomadaire *Jeunes*, autour duquel a eu lieu la rencontre avec cette correspondante, les influences auxquelles le jeune Genet a pu être soumis au cours de conversations amicales... D'un mot, en refusant d'alourdir le commentaire par des considérations étrangères, trop générales ou ne se rapportant pas directement au texte, nous avons eu le souci de ne pas distraire le lecteur de ce dernier, pour en préserver au maximum la spontanéité, la vie.

J. P.

LETTRES DE JEAN GENET À IBIS

et autres documents

1

Je[1] ne sais trop, Ibis, si vous m'excuserez. Hier, j'étais malade comme je suis malade toujours. Donc, je ne veux vous importuner plus et vous prie de croire à mon amitié parfaite, encore à ma reconnaissance. Chère, très chère Ibis, vous m'avez donné une des plus grandes joies que j'ai connues jusqu'alors. La joie la plus intense, mais hélas et par ma faute, la moins pure parce que troublée par mon inquiétude vraiment douloureuse.

C'est à vous, Ibis, que j'ai voulu écrire mon départ, parce qu'il m'a semblé que vous étiez la plus sainte. Vous dûtes souffrir déjà atrocement, mais, croyez-le, moins que moi qui n'ai pas un jour de soleil, pas un instant de joie limpide. Et puis, vous êtes trois[2], n'est-ce pas?

Mon accueil au milieu de vous m'a été bienfaisant comme un grand bol de lait frais. Mais je ne veux pas rester. Ibis, je vais vous faire une confidence, et vous jugerez d'après cela si je vous affectionne et si j'ai confiance en vous. L'avez-vous vu : j'aime Jean. Voilà, j'ai dit la chose et je suis bien plus à mon aise. Déchirez ma lettre, ne lisez plus s'il vous plaît, je puis maintenant confortablement vous dire tout. Plus que Simone et que vous, chère Ibis, et d'une façon bien différente, j'aime Jean. Trouvez cela honteux, laid, répugnant : bah ! je suis voué à la répulsion, à la laideur décrétée. Il n'en est pas moins vrai que j'ai au fond du cœur le sentiment le plus beau et le plus vaste. Oh ! Ibis, si vous saviez, mon amour pour lui est un soleil. Maintenant, je ne suis plus un être quelconque, je suis tout amour.

Et voilà pourquoi, Ibis, je n'ai pas voulu rester plus. Parce que d'abord je souffre auprès de lui. Et maintenant, où que j'irai je garderai une tristesse très grande, une mélancolie romantique d'un grand amour inavoué à l'objet de cet amour. Car je n'ai pas voulu dire à Jean mon sentiment pour lui. Il en rirait, et voilà bien la plus cruelle attitude qui soit.

Que j'ai eu confiance en vous, chère Ibis, puisque malgré moi je pense que vous comprenez un peu et ne maudites [*sic*] point trop. Montrerez-vous cette lettre [*à*] Jean ? Je vous laisse d'y décider. Mais s'il devait s'esclaffer et railler. Oh ! Ibis, ne dites rien alors.

Bien sûr, je vais partir. « Au grand, si grand désert[3] » où les sauvages sont tellement près de moi que, sans connaître leur langage, nous nous comprendrons. Ils m'ont tous tellement aimé, les simples, les heureux Chleuhs[4] que j'allais tuer. Car j'en ai tué, Ibis, j'ai commandé le feu et tiré moi-même avec un fusil mitrailleur dans un groupe de tentes où grouillait un peuple de vieillards et d'enfants[5].

Retourner là-bas, pas tuer, certes, mais vivre avec eux qui m'aimeront et toujours pourtant rester seul, seul avec un grand, un bel amour.

Je cesse, Ibis.

Je suis heureux d'avoir été votre ami et celui de Simone avec qui j'ai passé, en mes trois jours émerveillés, des heures délicates. Chienne de vie ! il faut finir. J'aurai passé ma vie à perdre mes amis. J'ai au cœur cent souvenirs de moments brefs et infinis. Vous, Ibis et Simone, serez le souvenir le plus affectionné. Jean, c'est bien autre chose.

Croyez bien en ma souffrance, Ibis, en ma souffrance de toujours, d'hier, d'aujourd'hui, et surtout, oh ! surtout, de demain.

Je vais voir pour cet argent, s'il m'est possible de vous l'avoir samedi ou mardi, car il est un peu tard dans la semaine. Toutefois, j'y pense. Ne vous reposez pas trop sus, pourtant, je ferai mon possible.

Votre cause[6] est la mienne, mais parce qu'elle est la vôtre et la sienne. À cause de cela je la veux triomphante et de toutes mes forces je m'y emploierai. Si vous recevez, rue Treilhard, quelques lettres portant mon nom, ouvrez-les, ce seront des abonnements ou des non-abonnements.

Je vous aime bien, Ibis et Simone.

J. GENET

NOTES

1. L'absence d'alinéa initial laisse supposer que cette lettre avait peut-être un début, qui aurait été perdu.
2. Voir la note 6 de cette même lettre.

3. Cette citation constitue le leitmotiv d'un poème de A. Nuchimo-vitch qui figure dans le troisième numéro de *Jeunes*:

«Je suis ce moribond...»

Je suis ce moribond très nonchalant
Arrivé près de l'oasis intérieure,
J'écoute la chanson de l'eau courante
  De l'eau vivante
Et ne daigne y pencher ni mon front ni mon cœur.

Au grand, si grand désert
J'ai vu les sanglots, les souffrances,
J'ai vu les doigts saignants s'obstiner dans le sable
Mendier de l'eau, de l'eau vivante
Au grand, si grand désert
J'ai vu mourir les Hommes
... Et ils avaient des yeux d'enfants,
Des yeux qu'affole l'injustice!

Vous n'avez pas compris n'est-ce pas, ô vivants?
Car sans cela... Ah non! ce serait trop atroce
Que vous viviez ainsi quand les autres se meurent.

Moi, moribond trop nonchalant,
Près de mon étroite oasis,
J'écoute la chanson de la vie
De la vie belle et consentante
Et n'y daigne pencher ni mon front, ni mon cœur.

4. Berbères du Maroc occidental.

5. Genet veut-il impressionner sa correspondante? Avant de porter un jugement, il faut tenir compte du contexte: proximité, compré-hension, amour même entre ceux que Genet désigne – par une anti-phrase ironique – comme «les sauvages» et le jeune, très jeune soldat. Le contexte, c'est aussi le poème que Genet cite: «Au grand, si grand désert / J'ai vu mourir les Hommes / ... Et ils avaient des yeux d'en-fants, / Des yeux qu'affole l'injustice!» Non, Genet n'est pas du côté des tueurs, mais du côté des victimes, comme le montre encore ce pas-sage de la *Lettre à Ibis*: «Vous n'avez pas vu le pays Berbère assailli par

les troupes imbécilement dociles et mornes de France et d'Espagne, le "Kel Tamazirgt" violé dans ses repères sauvages, ensanglantés, meurtris, souillés. Ah! si quelqu'un peut haïr, c'est bien ce peuple torturé dans sa sacrée indépendance, dans ses zaouïas pénétrées, ce peuple de pauvres cultivateurs que sont les Chleuhs!» S'il a fait ce qu'il dit, Genet a sans doute été obligé de le faire. L'ordre de tirer étant donné, peut-on imaginer que le tireur ou le chargeur d'un fusil-mitrailleur refuse d'exécuter cet ordre sans encourir une peine de prison pour refus d'obéissance? D'autre part, étant caporal, Genet a pu effectivement commander le feu.

6. La «cause» en question devait être celle de *Jeunes*, journal dont Pragane et Jean Walla étaient les deux directeurs, Simone Harmel le rédacteur en chef, et qui, nous le verrons, devait connaître des difficultés financières.

Le siège de *Jeunes* était situé 17 rue Treilhard, à Paris (VIIIe). Genet avait dû remettre ou adresser à des amis ou relations un certain nombre de bulletins d'abonnement; d'où la fin de la lettre.

FRAGMENT DE JOURNAL

Ce fragment de journal a été rédigé au crayon sur une feuille détachée d'un cahier d'écolier.

[avril 1933]

21 avril. Avant-hier soir mon départ théâtral de Chez Pragane. à noter mes adieux à Jean.

hier. suis en colère avec moi-même. J'écris mon amour pour Jean. Espère une visite ou une lettre. Que tout est poseur dans mon geste.

Aujourd'hui. Dépit de n'avoir vu ni Pragane ni Jean. Été à «Vu» et «Lu», et au Casino. En somme je désire acheter mes amitiés[1].

Si Jean ou Pragane n'ont [*pas*] répondu demain, je téléphone rue Treilhard.

---

23 (Dimanche). Téléphoné à Jean. Vu à Source. Il me dit que Pragane ne lui a pas communiqué ma lettre. Après maints circon…? avoué mon amour à Jean. Dînette que vient troubler m. Z. et qu'achève en grande gêne l'arrivée inopportune de Pragane et Simone.

Je songe que demain, je dirai à Jean qui m'a demandé mon opinion sur la maison : Ibis est inhumaine. Elle est trop la Vie et l'Amour, je la voudrais vie et amour.

Promenade à Ville-d'Avray. Attendu à la porte Dauphine. Jean est ridicule avec sa bagnole. Son mouvement d'orgueil : «Songez que vous téléphonez à Jean Walla» – Arrêt au restaurant qui ne peut accepter nos prix. Dîner. Retour. Malaise intense. Ma guérison.

NOTE

1. Il semble bien que Genet, par amitié et par amour, fasse le démarcheur pour le compte de l'hebdomadaire *Jeunes* (voir la fin de la lettre qui précède et la note 6 de cette même lettre).

Vu, dont le sous-titre est *Journal de la semaine*, et *Lu dans la presse universelle* étaient des hebdomadaires d'actualité complémentaires, *Lu* reprenant, comme son titre complet l'indique, des articles et des dessins de la presse universelle, dans un contexte pacifiste d'opposition au fascisme, au nazisme, au racisme, qui semble avoir été commun aux deux publications, ainsi qu'à… *Jeunes*. *Vu* absorbera *Lu* en mai 1937.

2

J. Genet
Poste restante
Toul

Ibis,

Vous m'aimez vraiment. Mais, moi, je n'aimerai plus. Je n'aimerai plus d'amour vrai, d'amour vaste. Et puis, je peux bien vous le dire, je n'ai jamais compris le bouddhisme ou autre panthéisme[1]. Aujourd'hui plus qu'avant cela me paraît dérisoire. Parce que ma raison – et plus qu'elle – me dit que rien ne peut être. L'infini, pour moi, c'est l'incréé. Et le créé ne peut être – raisonnablement – dans ce qui n'est pas. Écoutez, je ne suis pas très d'humeur à philosopher, et je m'y prends toujours fort mal, mais je ne crois en Rien. S'il me fallait une consolation – si elle m'était possible – je la prendrais purement et simplement dans l'Église. Parce que c'est la mode. Voilà tout.

Alors, n'est-ce pas, Ibis, qu'avec un tel état d'esprit je ne puis guère – être heureux, cela n'en parlons pas – mais tout bonnement agir?

Agir pour qui? Pour quoi? Pour agir seulement, ma foi non, c'est trop bête. Je suis mûr pour le suicide ou le bilboquet.

Mais vous avez raison, vivre doit être beau. Je voudrais vivre. Mais, Seigneur, que cela m'ennuierait. Qu'aller faire à Paris? Je n'y ai pas d'ami – fors vous, Ibis, mais vous êtes avec moi partout – Pas d'autre ami, Ibis. Je n'en eus jamais. Je suis trop triste, et trop répugnant. Oh! on finit par se connaître quand on est «*très sincère*» avec soi-même, et qu'on ne se gobe pas trop. Et puis, je m'en fiche, d'avoir des amis. Ils trouvent toujours le moyen de vous préférer quelque devoir social – infiniment respectable du reste – mais bien vexant pour l'amitié. Non. Non. Laissons. Il n'y a plus que la volupté qui compte.

J'ai été malade de passion folle, il y a 8 jours. Je vais bien mieux.

Oh! vous savez, je me plains, parce que je suis faible et ça n'en est pas plus propre. C'est ignoble, de se plaindre. Pourquoi? Et puis c'est aussi très stupide de vouloir être fort. Pour quoi faire? Tout est tellement de la blague. Même l'art, en quoi j'ai cru. Même la beauté morale, en quoi j'ai cru. Il ne reste que la volupté – et la soûlerie – Oui, tout ça n'est guère original et tous les gens ont eu à 22 ans des désespoirs pareils. Pensez-vous qu'un jour me revienne quelque enthousiasme? J'en ai toujours été chiche. Mais il demeure, chez les plus cyniques, un coin de candeur – d'étonnement. Voilà toute la lettre que j'aurai su vous écrire, Ibis.

Je ne suis certainement pas une personne intéressante, et je n'arrive qu'à m'intéresser à moi. Incompréhensible!

Oh! si je pouvais ne plus penser! devenir un de ces êtres instinctifs, enfantins, animaux, qui n'agissent que spontanément[2] ! J'en connais, Ibis. Et comme ils sont heureux ! Leurs mouvements sont tous et toujours parfaits. Les miens sont disgracieux et qu'ils seraient beaux ! Je les aime, les admire, et ne suis point *tout à fait* désespéré, puisque je les envie. Mais il faut qu'ils soient parfaits. Ils sont rares. Il y en a tant qui ne sont que des compromis entre l'instinct et l'intellect ! Et c'est odieux. Il faut être l'un ou l'autre. Ou bien entièrement l'un et l'autre. C'est idiot, cela.

Mais au moins, que le cérébral soit désespéré. Ah ! et puis il ne peut qu'être désespéré. Voyons, Ibis. Et pourquoi vouloir être heureux ? Il faut se donner trop de mal.

Il n'y a que le désordre pour m'amuser. J'attends des catastrophes. Surtout les «irréparables». Mais tout ce qui *a été est irréparable*. Une bonne guerre. Une guerre sauvage. Ah ! la société prend son Ordre au sérieux. Ça me fait rire, l'ordre social. Ça m'agace. Ça me fait hausser les épaules.

Je ne comprends rien à rien.

Demeurez mon amie, Ibis, mais cela sera bien décevant pour vous.

Paris m'assomme. Je voudrais vivre sans penser. Comme je n'ai point parlé de vous,[3] C'est idiot, je ne sais pas écrire, je voudrais vous parler.

NOTES

1. Sans doute sa correspondante, attirée alors par la théosophie, a-t-elle parlé à Genet, dans la lettre à laquelle il répond, des conceptions bouddhiques et hindouistes du monde.
2. Correction pour «sous le coup».
3. Cette phrase a été laissée inachevée.

3

Ibis,

Vous n'avez pas répondu. Ibis, n'y a-t-il donc pas de réponse ? Bien sûr ma lettre, et celles encore que je vous écrirai, sont stupides. Elles sont niaises, banales désespérément. Mais de cela vous n'en souffrez pas plus que moi. « C'est être vil que savoir qu'on est vil », dit à peu près Pascal[1]. Mais c'est aussi douloureux de savoir qu'on est vil, et de le savoir et d'en souffrir je me demande si cela ne vous confère quelque grandeur. Vous qui [ne] commenciez à trouver intéressant l'homme seulement quand il souffre, pardonnez-moi.

Non, vrai, je ne sais pas trop ce que je vous écris. Sinon que je suis bien malheureux et que vous êtes la seule personne à qui j'ose le dire. Ça n'est pas propre d'épancher toutes les saletés, toutes les abjections, les sordidités de son âme. Mais si je ne le faisais pas, je crèverais d'intoxication.

Tenez, voyez, c'est de moi que ce soir je vous parlerai. D'ailleurs, je l'ai senti dès le début de cette lettre. Espérez-vous en moi, Ibis ? M'aimez-vous quelque peu ? Ma dernière lettre était donc à ce point décevante, Ibis, mon amie. Ibis, mon amie, la seule, dis, dis-le donc, tu ne m'aimes plus. Tu vois, je prie. Oh ! si tu savais comme je souffre aussi, ce manque de pudeur ne te ferait pas me considérer avec dégoût. Mais tu ne sais pas qu'à mes confessions je joins des larmes, Ibis ! En ce moment, chérie, je me désole. Crois-moi donc.

Non, c'en est trop de je ne sais quelle vie stupide où je vais, bousculé, cahoté, comme un corps mort, un corps inerte que l'apparente – hélas apparente destruction désagrège. Mais je ne crois à rien. Hormis à la souffrance. Tenez, je ne crois même qu'à ma souffrance. C'est idiot. C'est brutal, inintelligent.

Savoir que rien n'existe. Car la raison, celle qui est sincère, vous dit que rien ne peut être. Souffrance ? Non, pas même. Quoi ? Rien. Rien. Et cela nous dépasse. Oui, cela m'a dépassé. Rempli d'angoisse. Si je pouvais aller vers vous, je vous dirais toute la négation qu'a su concevoir, qu'a su fabriquer mon esprit qui s'affole un peu plus tous les jours. Je suis désespéré.

Croyez-moi donc, Ibis. Je n'ai aucune éloquence. Sentez bien que je n'ai aucune éloquence et que je[2]

Pardon, pardon.

Écris-moi, Ibis,

    vite,

        à Toul

Poste restante[3]

chez Madame Vve Franzt

Rue Quiquengrogne

Toul

1. Pascal dit: «C'est donc être misérable que de [*se*] connaître misérable, mais c'est être grand que de connaître qu'on est misérable» (*Pensées*, éd. Lafuma, 1951, n° 114; éd. Sellier, 1976 et 1991, n° 146).

Comme le montre la phrase suivante, Genet a bien compris la pensée de Pascal, qu'il enrichit en ajoutant à la conscience de sa misère la souffrance qui en résulte comme causes de grandeur pour l'homme.

2. Les deux derniers mots de cette phrase inachevée ont été rayés.

3. Ces mots ont été rayés.

4

*57 Avenue J. Jaurès,
à Paris*[1]

Ibis,

Il m'est absolument impossible d'écrire une lettre correctement. Alors, c'pas, Ibis, vous m'excuserez.

Disons vous qu'arrivera rue Treilhard le livre de Vieuchange[2].

Ibis, chère Ibis, que le petit papier ne vous agrée pas que je joins au livre, torturez pas mon Héros *(Ah! mais qu'est-ce que j'ai bien, à fabriquer des phrases autant tuberculeuses et molles?)*

Voyez pas l'œuvre de Vieuchange comme un exploit. Cela n'est pas une exploration. Vieuchange est né avec en lui le voyage à Smara.

Ibis, très chère Ibis, je ne comprends guère le «j'ai de l'emprise sur moi-même, je commande à mes passions». Parabole des coursiers[3] – Mais dites qui est le cavalier? Votre volonté? Mais la volonté fait partie de vous-même et nous pouvons demander «qui dirige la Volonté». Après tout, elle doit dépendre de quelque chose. La Volonté, qu'est-ce?

La doit-on considérer comme une fonction de… ? Alors, pourquoi se soumettre à ? Et ne soumettre pas soi-même, sa volonté avec, à un vice quelconque qui vous amuse ? Répondez, Ibis, répondez vite. Mais qu'est la volonté ? « J'ai de l'emprise sur moi-même. » Il faut que je sois 2. Les coursiers, Ibis, les coursiers !

Si vous trouvez mon machin sur Vieuchange idiot, déchirez-le. J'ai d'ailleurs failli le faire moi-même aux Buttes-Chaumont[4]. J'ai grand désespoir parce que lu « Eupalinos » de Valéry. Oh ! Ibis, vous qui aimez la Danse[5]. Écrire comme Valéry ! Sentir comme. Je ne sais pas. J'ai les larmes aux yeux de n'être pas Valéry. Ibis, Ibis, écrivez-moi vite. Dites bonjour à Simone et à J. Walla.

GENET

NOTES

1. J. Genet est donc de retour à Paris. L'adresse indiquée serait celle du Bureau de bienfaisance du XIXe arrondissement, où il aurait occupé un emploi temporaire et aurait été hébergé au cours du mois de mai 1933 (Albert Dichy et Pascal Fouché, *Jean Genet matricule 192.102. Les années 1910-1944*, Paris, Gallimard, « Les Cahiers de la NRF »).

2. *Chez les dissidents du Sud marocain et du Rio de Oro. Smara. Carnets de route de Michel Vieuchange.* Publiés avec une introduction, une postface et des appendices par Jean Vieuchange. Préface de Paul Claudel. Paris, Plon, 1932.

La mention « rue Treilhard » indique que le « petit papier », le « machin sur Vieuchange » dont il est question dans la suite de la lettre était bien destiné à *Jeunes*, « hebdomadaire » qui, en quatre mois d'existence, ne sera publié que quatre fois et dont le siège était rue Treilhard (voir lettre 1, note 6). Il s'agit sans aucun doute d'un projet d'article en forme de lettre, comme le confirment le premier paragraphe de la *Lettre à Ibis* et les mots «Voulez-vous bien développer cela correctement?» (voir la note 6 de la *Lettre à Ibis*).

Les difficultés financières de *Jeunes* expliquent la non-publication de l'article de Genet, qui aurait sans doute figuré dans son numéro 5, s'il y avait eu un numéro 5...

3. Sans doute allusion au mythe de l'attelage ailé dans *Phèdre*, de Platon : il s'agirait de dompter un cheval rétif, symbole des passions humaines, qui tire l'homme vers le bas.

4. Parc des Buttes Chaumont, proche de l'avenue Jean-Jaurès.

5. Sans doute Genet pense-t-il plus précisément à *L'âme et la danse*, dialogue «platonicien» de Valéry, comme *Eupalinos*, dont il est contemporain. Dès l'édition originale, en 1923, les deux œuvres ont figuré dans un même volume.

LETTRE À IBIS

On trouvera en annexe un premier état de la Lettre à Ibis. *Les deux textes ont été écrits, le premier au crayon, le deuxième à l'encre, sur des feuillets semblables à ceux sur lesquels on trouve les lettres 1 et 5.*

Mon intention d'abord fut de vous prier de parler du voyage de Michel Vieuchange à Smara[1]. Cela serait me dérober... J'ai conscience qu'il revient à un « blédard » amoureux du plus loin de dire ce qu'a été l'œuvre du jeune aventurier qui, dans son génie précisément exalté, puisa telle folie, telle exaspération du désir, qu'il s'accomplit.

S'accomplir, voilà ! Devenir soi dans son œuvre. Michel Vieuchange n'est plus à présent qu'un voyage à Smara.

Tous, m'avez-vous dit, connaissons ce besoin d'aller ailleurs ; nous pensons nous fuir en fuyant le cercle plus ou moins vaste où nous dégageons tant de nous-même que l'air en est irrespirable. Nous voulons une atmosphère vierge de nous.

Michel Vieuchange n'a pas voulu fuir, mais aller. Aller là, pour savoir, peut-être assouvir une espérance. Mais sa randonnée est une œuvre d'art et l'œuvre d'art n'est pas une fuite. Considérons donc Vieuchange en tant qu'artiste et artiste de génie.

Quand des jeunes hommes créent de telles œuvres, ils en meurent, exténués, épuisés. La quantité d'émotions et sensations, il semble est dépensée qu'il ne reste rien. On meurt d'un Bateau Ivre, d'un Bal du comte d'Orgel, d'un voyage à Tombouctou[2], d'un voyage à Smara !

Le fait d'aller dans le Rio de Oro, chez les Maures traqués, ne vous semble pas, peut-être, tellement héroïque.

S'il n'était qu'un héros, Vieuchange ne mériterait pas notre amour. Il était un amant. Caressa-t-il pas son œuvre avant de la réaliser, un an ? Il n'a pas été vulgairement héroïque parce qu'il n'aperçut pas, bien sûr, les dangers qu'il encourait.

Faire ce qu'aucun n'a fait ! Le Hasard aide ceux qui d'un coup d'aile éperdu atteignent aux cimes de l'idée. Penser que cela… Vouloir que cela…

On est allé à Tombouctou plus mystérieuse[3]. Caillé, le premier, y entrait seul.

Vieuchange a traversé une tribu berbère farouche entre toutes, les Aït Reguibat.

Réalisez-vous bien tout l'audacieux de ce désir, tout le fou de cet acte : aller chez les Chleuhs ! Vous n'avez pas vu le pays Berbère assailli par les troupes imbécilement dociles et mornes de France et d'Espagne, le « Kel Tamazirgt » violé dans ses repères sauvages, ensanglantés, meurtris, souillés.

Ah ! si quelqu'un peut haïr, c'est bien ce peuple torturé dans sa sacrée indépendance, dans ses zaouïas pénétrées, ce peuple de pauvres cultivateurs que sont les Chleuhs ! – Les abolira-t-on ? demandent la France et l'Espagne, tandis qu'eux, en un sursaut d'effroi, de désespoir, se débattent jusqu'au sang.

Il est courant de savoir le Berbère cupide et l'on pense qu'il suffisait d'offrir beaucoup d'argent à quelque caïd pour que s'aplanissent toutes les difficultés. Fit ainsi Vieuchange qui réussit. Cependant, la sécurité acquise n'était que relative si l'on songe que le Berbère est divisé grossièrement par ces trois sentiments : l'amour de l'argent, de tous le plus solide ; la haine du Roumi, ancestrale et aiguisée dernièrement par les « exploits » de nos troupes et les cris de révolte des marabouts ; enfin l'hospitalité bonne fille et narquoise qui est celle aussi des paysans de France et d'ailleurs.

Les notes rapides de Vieuchange sont, que j'ai lue, la plus fidèle analyse de la psychologie chleuh.

Mais il s'habille en femme et se voile le visage. Ignore-t-il que les femmes tamazight [?], musulmanes pourtant, ne vont pas voilées ?

Ses souffrances sont atroces parce qu'il ne connaît pas le bled. Lors de son service militaire, il était resté à Mazagan[4] et un de mes amis, qui fut son camarade, m'en a parlé comme d'un garçon sans grande force physique, aux pieds toujours blessés par les marches. Ses notes, quand elles ne sont pas d'un fébrile enthousiasme, sont une constante plainte.

Il arrive à Smara où il ne reste pas 3 heures. La petite casbah que fit construire Ma l'Aïnin est abandonnée.

Vieuchange, maître dans Smara, vit une éternité.

Retour. Mort à Agadir près de son frère.

À ce frère aussi, le rôle fut beau qui fut de laisser à l'aîné la gloire de l'expédition, l'ivresse du moment espéré. Le voilà, Ibis, l'Amour dont vous parlez. Un seul doit aller, pour n'éveiller pas les soupçons. Michel ira donc !

Je ne puis, du livre, vous dire rien. Il n'est qu'une attente de l'Instant.

Le voyage matériel, vous le saurez. Smara !

… assouvir une espérance…

Quand[5] on est devant l'Atlas – « Qu'est derrière ? » dit-on. L'Atlas franchi, on voit le pays gris et ocre, de grands soleils et un ciel énervé. Un ravin. Un oued y coule qui vient de là-bas. Un autre mont qui fait rêver – « Qu'est derrière ? » C'est le même pays gris avec le ciel. Car le mystère[6] n'est pas dans l'Imazighen[7] mais dans le Berbère qui va cheminant sous les cèdres. Pourtant, on espère un pays mystérieux. On n'est jamais déçu par[8] parce qu'il est banal mais on veut celui qui est derrière.

Vieuchange savait le bled berbère, il savait Smara une casbah de pisé, une mechta en pierres sèches.

Aller ! Toujours ! Savoir que tout est semblable et vouloir plus loin.

Aller seul, très pensif, se noircir au soleil et crever sous la lune !

Pour l'amant du là-bas, toujours seront des Smaras endormies au soleil de midi. Et des morts.

– « Aucun homme avant moi. »
Ô des joies très confuses
Et douloureuses !
Désordre d'un moment dans une âme
Équilibrée.
Abjecte vanité !
Mouvement infect qui fait vous
Sentir divin !
Michel Vieuchange, au moins
Pendant trois heures dans ta Smara
As-tu su ces joies très confuses

Et douloureuses?
Mais tu surmontas le divin de l'instant.
Et tu redevins homme
Accomplissant sa volonté.

GENET

NOTES

1. Il semble donc que le livre (voir lettre 4, note 2) et le sujet – le compte rendu du livre – aient été choisis et proposés à Ibis par Genet.

Il n'est évidemment pas surprenant que «l'homme aux semelles de vent» (c'est ainsi que Verlaine désignait Rimbaud) qu'est Genet, désirant apporter sa contribution éditoriale à *Jeunes*, ait choisi un récit de voyage publié l'année précédente et dont la publication n'était pas passée inaperçue. C'est ainsi que, dans *Journal I*, François Mauriac écrit sous le titre «Un autre jeune est mort», à propos de Michel Vieuchange, dont les carnets de route venaient d'être publiés:

«Ce n'était pas un saint et il n'a trouvé Dieu qu'à l'instant de consommer son sacrifice: un enfant de ce siècle, pareil à beaucoup d'autres; et ses premiers essais témoignent des influences troubles qu'il subit. Mais, à vingt-cinq ans, il se détourne d'un seul coup de ce monde impur. Il se tait et il agit. La même force, encore innommée qui, naguère, obligea le lieutenant Charles de Foucauld, travesti en Juif, à s'enfoncer dans le Maroc inconnu, pousse Michel Vieuchange, sous des habits de femme, vers Smara, ville fantôme de ce Rio del Oro, peuplé de tribus féroces, et où nul roumi ne pénétra jamais.

«Ce qu'il en a rapporté au prix de sa vie: ces clichés, ces notes, ces itinéraires, gardons-nous d'en diminuer la très grande importance scientifique. Mais, tout de même, quelle disproportion entre ce martyre et son objet: ces murs abandonnés, croulant et s'effaçant dans le sable! Smara, telle que les photos de Michel nous la montrent, c'est une cité de nuages qui se défont, un rêve à peine matérialisé, un mirage que, par la toute-puissance de son désir, un enfant fiévreux réussit à fixer sur la pellicule.

«Le voilà bien, "l'acte gratuit"! Michel Vieuchange donne sa vie pour presque rien; il perd sa vie, mais il la sauve.» (*Œuvres complètes*, Paris, Fayard, s.d. [1950-1956], 12 vol., t. XI, p. 15-16.)

Faut-il s'étonner de l'admiration de Genet pour une aventure difficile, qui finira tragiquement, et dont la principale caractéristique est la gratuité..., une aventure dont celui qui a choisi de la vivre n'espère retirer aucun avantage matériel, mais dans laquelle il cherche avant tout à «s'accomplir»? Aventure humaniste et chrétienne qui, dans son inspiration, n'est pas sans rapport avec le raid effectué quelques années plus tard, d'août 1937 à mars 1938, par le scout Guy de Larigaudie et son équipier, de Paris à Saïgon, en automobile (Guy de Larigaudie, *La route aux aventures. Paris-Saïgon en automobile.* Préface du Général Lafont, chef-scout de France, Paris, Plon, 1939). Mais combien plus proche de Rimbaud et de Claudel est ce «Fils du Soleil», ce conquérant qui, à la faveur d'une aventure périlleuse, se révéla en Michel Vieuchange!

Dans *Notre-Dame-des-Fleurs*, l'avocat de l'enfant dit à propos de son éducation «la faim, la soif», et ces deux termes entraînent cette réflexion du narrateur: «Allait-il, mon Dieu, faire de l'enfant un Père de Foucauld, un Michel Vieuchange?» (*L'Arbalète*, n° 8, Lyon, printemps 1944, p. 34). Au bout de dix ans, Genet n'a donc pas oublié *Smara*.

2. Allusion à l'explorateur français René Caillé (1799-1838): «Sans se laisser arrêter par le manque de ressources, il repassa en 1824 au Sénégal, vécut près d'un an chez les Maures pour apprendre l'arabe et s'initier aux pratiques de l'islam, en se faisant passer pour un ancien esclave égyptien. Il se mêla à une caravane de marchands mandingues et il atteignit Tombouctou (1828).» (*Nouveau Larousse illustré*, de Claude Augé.) Ses notes et ses observations furent publiées en 1830 sous le titre de *Journal d'un voyage à Tombouctou et à Djenné dans l'Afrique centrale.*

3. Tombouctou, restée longtemps à peu près ignorée des géographes et des voyageurs, fut surnommée «la Mystérieuse».

4. Mazagan (El-Jadida) est un port de la côte occidentale du Maroc.

5. À partir de «Quand» et jusqu'à la fin du texte, l'écriture, qui était droite, est devenue penchée : Genet aurait ainsi voulu marquer le passage au poème : poème en prose d'abord, puis poème en vers, la distinction entre les deux formes reposant ici uniquement sur une différence de respiration poétique.

6. Ici, Genet a ajouté au crayon un appel de note, auquel correspond la note suivante, elle aussi écrite au crayon et placée après la signature : «Le mystère est toujours là où l'on n'est pas allé. [Genet a écrit ici et barré : «C'est un impondérable. C'est un état,»] Rien n'y est bizarre. Le mystère existe parce que l'on n'est pas allé là. Même si l'on n'espère rien, on sent le mystère.» Et, en regard de cette note, Genet a ajouté : «Voulez-vous bien développer cela correctement?»

7. Les Imazighen (singulier : «Imazigh») sont des populations berbères de l'Atlas marocain, habitant plus particulièrement son versant septentrional.

8. Ce «par» est incompréhensible ; «pas» ne serait pas plus satisfaisant.

5

Ibis,

Je rentre, me déshabille et vous écris.

N'êtes-vous pas trop ennuyée par toutes mes demandes de présentation à vos amis ? Songez un peu que je me sens honteux de solliciter de vous, tellement. Et, pour me satisfaire, vous faites le nécessaire, même quand la chose est ennuyeuse, quand elle vous fait râler d'impatience. Alors je vous suis odieux. Et je comprends tellement bien ce sentiment qu'il me vient de vous proposer que nous cessions nos sorties. Trop, vraiment trop êtes indifférente à vos désirs pour ne voir que les miens que vous supportez.

Oh ! Ibis, qu'il m'est dur de penser que vous... et qu'encore vous me reléguez à la 2e liste entre Madame H. Erter et Roger Tricoire[1]. Enfin !

Autre chose, Ibis.

Peut-être penserez que j'abuse de ma complexité, de mes anomalies sentimentales[2] et voulez que sur ces choses on glisse, léger, sans insistance.

Mais voyez-vous, cela c'est toute ma vie et comme les

amours des gens sains font ceux-ci s'occuper constamment de ceux-là, ainsi mes amours me tourmentent sans répit.

J'ai grand-peur[3] que vous ne disiez: «Que ce garçon est donc assommant et surtout qu'il se complaît dans l'étalage de ses bizarreries.» Pourtant, non. Mais elles sont, ces bizarreries, et m'obsèdent.

Donc, Ibis, encore ce soir, entendez-moi.

Pensez-vous que j'aime ce Foujita II[4]? Bien sûr, n'est-ce pas. Cela se voit. Je suis malade depuis le jour que je le vis. Et cet amour sera-t-il la réplique de l'amour pour J. Walla? Vraiment, si vous me présentez à lui, je me demande si je lui avouerai cet amour. N'en rirait-il pas? Cela serait pour moi plus atroce que le voir s'en fâcher. Et s'il l'admettait, me décevrait-il autant que le fit J. W.? Vrai, Ibis, vous ne savez pas mes tristesses quand je pense à l'amour que j'ai pour cette tête brune, étrange et soyeuse ainsi que celle d'un beau chien-loup. – «Chien-loup». Chien-loup qu'il me plaît de caresser en rêve parce qu'il ne voudrait pas de caresses plus effectives.

Ibis, puis-je l'aimer?

Ibis, puis-je lui avouer que je l'aime et cela sans espérer de lui que savoir qu'il tolère que je l'aime?

Ibis, je lui demanderai qu'il soit mon correspondant pour dans un mois[5]. Puis-je?

Alors, je voudrais tant – c'est la dernière chose que je vous demande – que vous lui disiez que j'ai voulu le connaître. Oui, que vous le lui disiez, simplement. Et qu'il consente à me voir. Mais si c'était possible, pas dans un café. Chez lui, chez vous, ailleurs, mais pas dans le bruit. Nous parlerons. De rien.

Hélas, rien de ce que je voudrais ne sera, parce que déjà

j'ai rêvé de moments où ma main irait sur et dans ces cheveux. Non, rien ne sera, parce qu'en rêve tout déjà, tout a été. Écrivez-moi son nom.

En vérité, Ibis, que cela m'apportera-t-il ?

De grandes déceptions, n'est-ce pas. Écrivez-moi, voulez-vous. Parlez-moi longtemps de lui, et surtout téléphonez-moi, si vous recevez ma lettre à temps, ce vendredi à   heures (seize heures[6]).

Sans doute Ginette[7] vous dira-t-elle ce qui nous advint parce que je lui découvris trop de moi-même. Cette allée du Dôme à la rue Tourlaque[8] n'a été qu'un arrachage d'intimes pensers, qu'une exposition très cynique de mes penchants. Et le résultat fait que l'affection que j'éprouvais pour Ginette s'amoindrit par cette lassitude d'elle.

Il est dangereux de se montrer nu avec trop de complaisance. Ce que je prends pour de la franchise n'est peut-être, après tout, qu'un goût morbide, malsain, de l'étalage de mes ulcères mentaux.

Au revoir, Ibis très Chérie.

J . GENET
57, avenue J. Jaurès 19[e]

Je rouvre cette enveloppe, Ibis. Rien, vous ai-je dit, de ce que je désire ne se réalisera parce que déjà mon imagination m'a trahi et mêlé à votre ami, à mon ami le chien-loup noir et poils de soie. Pourtant, je garde l'espoir, je mets en vous l'espoir de réalisation de mon amour. Pourquoi ? Je ne sais. J'ai l'impression que, malgré ce Hideux Hasard qui toujours détruit mes rêves les plus chauds, malgré cela et grâce à vous... Sentez-vous ma détresse ? Ibis, je vous la crie. Tous mes rêves illuminés qui se noient parce que j'ai commis le péché de les concevoir. Ibis, non, non, non, n'est-ce pas. Vous êtes là. Vous êtes mon amie. Votre présence suffira pour qu'enfin la réalité soit la sœur du rêve. Le sort qui m'en veut sera conjuré et j'aimerai, Ibis, et j'aimerai jusque, jusqu'à la mort. Mais vrai, Ibis, cela ne ferait pas grand-chose que je meure si un grand bonheur m'était donné.

Ibis. Oh ! Ibis, posez vos mains sur mon front, ne m'abandonnez pas. Bien sûr quelque chose pourrait m'empêcher dans mon voyage. Mon Désert ou mon… – Ibis, Ibis, je suis fou, excusez-moi. Mais j'ai confiance. Écartez l'occulte force qui veut que ne soit pas mon amour. Ibis, aimez-moi.

NOTES

1. Dans le n° 4 de *Jeunes*, Roger Tricoire signe une gravure sur bois et est l'auteur d'un article d'inspiration révolutionnaire utopique (« Il faut descendre dans la rue, il faut savoir prendre les armes […]. Seuls, les jeunes pourront réussir la Révolution ») et d'une chronique consacrée à l'art décoratif appliqué au meuble.

2. Genet avait sans doute commencé à écrire : « amoureuses ».

3. Genet a écrit « grand'peur » ; de même, dans la lettre 9.

4. Le peintre et graveur Foujita (1886-1968), originaire du Japon, appartient à l'école de Paris. Sa chevelure plaquée sur le front et sa longue frange, ses lunettes rondes, sa moustache contribuèrent à faire de lui une figure de Montparnasse. Genet et Ibis l'ont-ils rencontré ? L'artiste ayant beaucoup voyagé à l'étranger dans les années 1930, c'est vraisemblablement à un portrait que Genet se réfère : peut-être, comme le laisse supposer la suite de la lettre, à la tête de Foujita couronnée d'une sorte de casque de cheveux réalisée par le sculpteur Léon Indenbaum en 1915.

5. Annonce d'un départ prévu (voir la fin de la lettre).

6. Les mots «seize heures» ont été écrits en toutes lettres parce qu'une grosse tache d'encre empêche de lire le chiffre indiqué devant le premier mot «heures».

7. Le 8 novembre 1933, Robert Guilbaud (voir Présentation) écrivait une longue lettre à Ibis, alors en Orient, dans laquelle il est question de Ginette: «Ginette est maintenant figurante au Châtelet, 7 francs par soirée, mais c'est un secret mortel... Nikki serait, paraît-il, très mécontent s'il venait à l'apprendre. Ils ont beaucoup de difficultés avec leur propriétaire, la compagnie du Gaz et la préfecture de police (carte d'identité de Nikki).»

8. Le Dôme étant un café situé au carrefour Vavin, cette traversée de Paris du sud au nord, pratiquement du cimetière du Montparnasse à celui de Montmartre, soit cinq kilomètres à vol d'oiseau, si elle s'est faite à pied, a dû exiger un temps assez long.

6

Carte postale représentant une tête de pierre sculptée de la cathédrale de Sens (Yonne), portant le cachet de la poste de Sens avec la date du 21 juin (ou mai ? ou mars ?) 1933 et adressée à « Madame Ibis Pragane », à Paris.

> *Au revoir, Ibis,*
> *mais quand ?*
> *Mais loin, mais loin,*
> *mais notre affection*
> *mais nos affections*
> *et rien que.*

> (à la manière de… C. Bryen[1])

Que ferais-je à Sens, jusqu'à ce soir, que vous embrasser.

JEAN

1. Genet a donc connu Camille Bryen, dont il se moque gentiment ici du style à la fois répétitif et elliptique.

Robert Guilbaud, autre proche d'Ibis connu de Genet (voir lettres 9, 12, 13), après avoir mentionné sa rencontre dans la cour de la Sorbonne avec Jean Carteret, féru d'occultisme comme Bryen, écrivait à Ibis le 8 novembre 1933 :

« Le Bar So' [45, boulevard Saint-Michel, dans le Ve arrondissement de Paris] est complètement abandonné par notre groupe. Le clan des truands (Moreau [Un des poèmes d'*Opopanax*, le premier recueil de Camille Bryen, qui date de 1927, est dédié à Julien Moreau, auteur de *Minuit place Graslin*, « roman de mœurs » publié en 1928, qui présente le « célèbre auteur d'*Opopanax* » dans son milieu nantais. Sans doute s'agit-il du même Moreau.], Moresco, Paille etc.) s'est installé je ne sais où. Mimi, Janin, Bryen, Casimir, quelques autres encore et moi allons maintenant au Départ, au coin de la rue Gay-Lussac et du boulevard [Saint-Michel]. C'est assez sympathique. [...]

« Bryen n'a toujours pas trouvé le courageux éditeur pour *Les quadrupèdes de la chasse* [Ce troisième recueil de Bryen, dont la publication, assurée par les éditions du Grenier, se fera l'année suivante, fut chaleureusement accueilli par le critique d'*Esprit* et par celui de *La Nouvelle Revue française*]. Il m'a lu certains poèmes vraiment étonnants. Cela me semble valoir beaucoup plus que ceux d'*Expériences*. Débarrassé de tous les procédés, calembours et autres... »

Et, le 2 mars 1934 :

« Je vous écris de la Chope de Lutèce... J'ai demandé au garçon un peu de musique "classique" et il s'est empressé de mettre *Le barbier de Séville* – Je viens assez souvent ici car le Bar So' est devenu tout à fait impossible, le Hoggar même est de plus en plus banal et Montparnasse odieux. Ici, ce serait bien mais, ce soir, il y a auprès de moi un imbécile qui parle cinéma avec suffisance et qui présente une paire de joues dont j'aimerais éprouver l'élasticité par quelques claques bien venues. J'y rencontre de temps à autre Bryen ou Ginette [voir lettre 5, note 7] – le premier intéressant parfois, elle enveloppante et minaudant comme une belette en chaleur. Vidé avec Bryen une bonne fois pour toutes la question des automatismes "dirigés" dans un sens de création artistique. Il en est sorti une conférence qu'il a faite (oui, Bryen!) lundi après-midi à la Sorbonne, amphithéâtre Guizot, et à laquelle je n'ai pu assister mais qui, paraît-il, aurait eu un certain succès et pas celui que vous pensez. Quelques textes de Bryen lus par Armel Le Guern illustrant la conférence. »

De fait, la première exposition de Camille Bryen, qui eut lieu en mai 1934 à l'hôtel Sorbonne, présentait des «dessins automatiques».

Enfin, le 29 avril 1940, Robert Guilbaud, alors à Djibouti, écrivait encore à Ibis :

«Lu dans le *Mercure* à deux reprises des comptes rendus sur l'activité poétique d'Aristide [Bryen, né à Nantes en 1907, s'appelait en réalité Briand. Il avait été surnommé Aristide à cause de la similitude de nom entre lui et l'homme politique, onze fois président du Conseil, né lui aussi à Nantes.]... Dommage que vous ayez raté la magistrale conférence sur Paolo Uccello en Sorbonne, en l'an 36 ou 37... Gros succès de rigolade. Je ne désespère pas de lui voir faire un jour ses visites académiques. Dommage que le vieux Doumic soit mort, je vois assez Bryen, attentif et déférent, faire amende honorable dans les salons de la *Revue des Deux Mondes*, sacrifier Uccello au père Ingres ou à Bonnat et Jarry à Sully Prudhomme... »

Sur Camille Bryen, on pourra consulter *Camille Bryen à revers*, ouvrage dont nous avons donné les références dans notre présentation (p. 13, n. 2).

7

Lettre à en-tête du «Café de la gare» et portant en haut, à droite, l'indication imprimée: «Avignon, le 193 ».

Ibis, m'excuserez-vous? Oh! oui, certainement, parce que je souffre. Cela va-t-il durer? Je passe par des alternatives d'espoir (?) et de crainte, plus que crainte, d'horreur. Où donc ma belle assurance de ce midi? Où donc mon courage? Quitter la France après Paris, mais c'est affreux! Et pas le courage de mourir. Pas ce courage: se tuer ou bien le tuer.

Il ne se présente rien d'original dans ma vie actuelle: aucune aventure pour apporter l'oubli. Rien. Rien. Je me suis attaché aux pas d'un joli garçon; j'ai été dans la ruelle des bordels. Rien. Rien. N'oublier jamais. Oh! Ibis, vous ne saurez jamais ma souffrance. Encore s'il m'était donné de pleurer longtemps et très fort sous vos caresses, mais vous aussi êtes atrocement lointaine. Où aller dans cet Avignon stupide? Où, où aller? Prêtres? Religieuses? Pouah! Ils me feront dégueuler, ces gens-là. Où les consolateurs?

Vous Ibis, Vous la Consolatrice, écrivez-moi. Parlez-moi, je n'embarque que dans quelques jours ; adressez vos lettres Poste restante à Marseille. Dites-moi s'il faut que je rentre à Paris. C'est possible encore. Mais écrivez, Ibis. Je n'ai que vous. Vous. Mais Vous, vous faites que je ne me tue pas. Ibis, parlez-moi.

Ah ! si des aventures venaient m'intéresser. Mais non. Je marche au hasard avec lui[1]. Il est toujours à mes côtés. Mais tuez-le. Mais tuez-le. Qu'il ne m'obsède plus ainsi. Tout l'après-midi je l'ai tenu dans mes bras, j'ai baisé sa joue, mordu ses lèvres fines qui laissent passer à peine des dents plus fines, dans ses sourires. Oh ! je l'ai tant aimé, je l'adore. Sa voix, particulière et qui mue, me caresse. Tout l'après-midi. Et le réveil, ce soir. Des étudiants partant en vacances chantent, et je pense à Lui qui sourit. Maintenant, à l'heure que j'écris, Il est à la Coupole, avec une femme.

Oh ! c'est odieux, la vie ainsi. Voyez-le, Ibis. Dites-lui. Ou bien ne lui dites rien. Faites quelque chose, vous qui m'aimez. Vous, la seule qui m'aimez, Ibis, faites quelque chose. Non, non, non, vous ne savez pas ma détresse ce soir, ma douleur. Et partir avec cela. Oh ! non. Seul, absolument seul au désert ? Monstrueux.

Je veux lire Gide[2] et je tombe sur les douloureux souvenirs d'Oscar Wilde. Alors, alors, je me sens devenir atomiquement minuscule et toute douleur aiguë ou bien enfler, devenir Monde et toute Douleur, entière, parfaite douleur puissante, je suis un Monde douloureux[3].

Non, vrai, je ne suis pas fort. Oh ! pas fort du tout. Mais devant un tel amour, le premier Amour, je ne puis être fort, voyons, Ibis, soyez raisonnable. Mais demandez-lui ce qu'il veut de moi. Il aura tout. Oh ! Ibis, je crois que pour lui je

tuerais ma mère. Demandez-lui s'il veut cela, Ibis, deman-
dez-le-lui et écrivez moi.

Adieu[4].

Je ne sais vous dire rien. Pardon.

JEAN

[*Ont été ajoutés les mots suivants :*]

Écrivez-moi dès que vous aurez reçu ma lettre quand vous
l'aurez vu. J'attends à Marseille.

J. Genet. Poste restante.
Marseille-Colbert
B. du-Rhône

NOTES

1. Le « beau chien-loup » de la lettre 5, dont nous connaîtrons le
nom seulement à la lettre 9.

2. Dans une lettre qu'il écrira à Gide le 12 décembre 1933, de Bar-
celone, Genet évoque la visite d'« une très courte demi-heure » qu'il
fit à Gide « il y a six mois ». Dans la même lettre, il cite *Les nourritures
terrestres* et *L'immoraliste*. Cette dernière œuvre ayant été lue par lui lors
de son séjour à Damas en 1930 (A. Dichy et P. Fouché, *op. cit.*), on ne
peut savoir quelles œuvres de Gide Genet « voulait » lire au moment
où il écrit cette lettre.

3. La syntaxe, sinon le sens, de cette phrase, dans laquelle Genet
semble décrire les effets sur lui de la lecture de l'œuvre d'Oscar Wilde,
nous échappe.

4. Mot rayé.

CAHIER ICONOGRAPHIQUE

*Les documents réunis dans ce cahier ont été retrouvés dans
les archives d'Ibis. Ils sont reproduits ici pour la première fois.*

1-2. Reproduction de la lettre 1. En haut du verso, Genet écrit à Ibis : « Ils m'ont tous tellement aimé, les simples, les heureux Chleuhs que j'allais tuer. Car j'en ai tué, Ibis […]. »

3. Ibis a écrit au dos de cette photographie inédite : « Jean Genet », et ce dernier : « Piste de Zerghist » ou « Terghist ». Genet y porte la chéchia, qui fait partie de l'uniforme des troupes coloniales. Elle correspond donc à son engagement dans les tirailleurs marocains et à son séjour au Maroc de 1931 à 1933.

Première année - N° 1   HEBDOMADAIRE - Prix 1 Fr.   Vendredi 20 Janvier 1933

Jeunes

DIRECTEURS: PRAGANE ET JEAN WALLA

Redaction et Administration
17, rue Theilhard, Paris (VIII°)   Tél.: Laborde 12.07   Abonnements :
France et colonies: un an 52 fr.   Six mois: 26 fr.

Volonté

Dans tous les âges de l'humanité il n'est certes pas de force qui fut plus hypocritement incomprise, plus volontairement endiguée dans son expansion évolutive que la jeunesse : la mesquine fatalité masculine trouva dans cet asservissement l'apogée de sa manifestation.

En progressant dans le temps, les sociétés successives s'efforcèrent constamment de maintenir et d'affirmer toujours plus intensément l'insignifiance de l'humanité jeune. La civilisation, logique avec elle-même, suivit opiniâtrement la ligne qu'elle s'était tracée. Vassale de l'évolution, il devenait toujours plus nécessaire à cette civilisation, qui fut presque exclusivement masculine, de déverser son despotisme écœurant en éloignant d'elle des puissances telles que la jeunesse et la femme pouvant prétendre à la vie libre. Mais cette civilisation qui en réalité est le manifestation d'une dégénérescence, consomma sa ruine en préservant quelque fois de ses effets la jeunesse qui est la base vitale de l'humanité; sa non participation à la vie intellectuelle officielle, par une passivité mal à bien adaptée, la jeunesse consomma son inexistence ou sa force! Ou bien elle laissa étouffer son développement, ou bien quelques effets opposèrent instinctivement l'énergie aux méthodes d'endigement, voire de coercition qu'on leur imposa. Cette passivité qui anéantissait les effets éventuels de la scolastique, permit à la jeunesse qui l'employa de manifester sa réalisation en abondant, non paressamment, mais patiemment l'heure venue !

Cette réalisation qu'elle est-elle ? Simplement la manifestation de la puissance humaine, l'expansion de la Pensée originale, affirmée de tous dogmes et des libérant complètement de tout atavisme conformiste afin d'affirmer par le Monde la civilisation nouvelle, celle de l'Esprit qui favorise l'évolution spirituelle et non intellectuelle.

Nous jeunes, conscients de la puissance que confère cet état, atavique ment excédés de l'ère d'ombre dans laquelle nous fûmes enfouis, héritiers normaux de toute une période d'évolution, nous créerons, sans joie ni douleur, simplement parce qu'il doit être, le monde nouveau et trop attendu de la Pensée jeune, de l'Esprit jaillissant ! Magnifier la Pensée, lui donner une voie toujours ascendante, en sous n'importe quelle forme selon les tempéraments respectifs, sans principes ni codes, avec la Liberté pour base et but !

Liberté de conscience, spontanéité dans l'évolution spirituelle, harmonie des rapports entre l'Homme et l'Univers, voilà ce que nous voulons ! Mais qu'est-ce que la Liberté de conscience ? Par elle-même elle est assez facilement réalisable ; Posséder originellement ou acquérir l'état d'âme logique et normal de tout individu qui applique à la civilisation dogmatique n'a pas influencé.

Vouloir, vouloir, être soi-même, quelle qu'en soit la forme manifestée car tout ce qui participe de l'Absolu est parfait et libre.

L'homme, à de rares exceptions près, n'est pas lui-même : c'est le plus souvent un immoral et ridicule emploumteur de matières inertes dont l'éducation est l'origine esthétique. Si l'on ôte de l'individu les effets de l'éducation, les habitudes qu'il se coulent et les influences qu'il a subi, — selon l'intensité du refoulement provoqué — restera-t-il une parcelle originelle et libre sur son individualité dans presque inexistante, ne peut même pas !

Il entre en jeu le grave, délicat, mais pourtant simple problème de l'éducation : préserver l'évolution de la jeunesse de toute base immuable.

(Lire la suite en 4° page)

Notre Problème

C'est un grave problème que le nôtre. Nous avons cru que l'éducation, pressés, éducateurs ne sont bornés jusqu'à à nous imposer, de gré ou de force, et plus ou moins maladroitement, une série de directives, de morales, de préceptes, cadres tout faits dans lesquels nous pouvions à peine nous mouvoir. Ceci, paraît-il, en vue de faire de nous de bons citoyens polmtins et dociles — quallfés cssentiolles de l'homme civilisé. Le but réel: tancer chaque matin dans l'existence, au sortir de l'École, une série d'individus standards, tous pareils, fidèles disciples de ceux qui les ont formés et prêts à continuer passivement leur œuvre.

Pendant vingt ans il nous a fallu subir tous les hourrages de crâne, toutes les doctrines stupides, tous les abêtissements de la civilisation qu'on nous prodiguait sans parcimonie.

Pendant vingt ans nous avons été soumis. — Que pouvions-nous faire ?

Nous avons « avalé » stoïquement tous les enseignements indigestes, nous avons fait semblant d' « accepter » ; et pour éviter les coups, nous avons courbé la tête, mais en nos cœurs grandissait une sourde révolte, un goût de liberté d'autant plus violent qu'on essayait de nous faire céréménie.

Ainsi, dès que nous avons pu échapper à la tutelle, dès que parents et éducateurs, tout fiers d'eux et conscients du devoir accompli, nous ont libérés, ce goût c'est manifesté par une série de réactions violentes et imprévues. Nous avons fait n'importe quoi, n'importe comment, sans savoir ce que nous faisions et ce que nous voulions, grisés par une liberté dont on nous avait si sévèrement sevrés. Comme des enfants sans expérience n'ayant jamais pu gouverner seuls et se sachant utilisés le trésor qu'ils viennent de découvrir, nous avons enivré des sottises.

Crise lamentable — dont nous sommes sortis, après un temps plus ou moins long, — selon l'intensité du refoulement provoqué par nos abus, — avec beaucoup de cicatrices et de sourire au peu amer.

Un instant nous nous sommes demandés si « les nôtres » n'avaient pas raison, si la liberté n'était pas une possession dangereuse. Il nous fallut alors réviser et le monde de liberté dont nous rêvions et de vieux monde des adultes. De souvenirs nous les avons regardés agir. Mais nous avons vu leur société si lamentable, tant d'hypocrisie, de mensonge et d'injustice que nous n'avons plus pu hésiter. Leur œuvre avait paru pour eux.

Et puis nous avons compris. Nous avons compris le pourquoi de nos déceptions, le mauvais emploi de cette liberté tant désirée. Nous avons compris que nous n'avions pas vingt ans, mais sept, que pendant treize ans nous avions sommeillé et que toute notre éducation était à refaire.

Ce qu'il nous faut d'abord, c'est devenir des hommes, c'est apprendre à nous conduire, à nous gouverner, pour, une fois forts et conscients de nous, imposer au vœux monde cristallisé, le monde de liberté que nous voulons.

La tache est difficile. Eux ont les pouvoirs, les lois, les ressources matérielles et le prestige de vingt années d'autoritarisme sur nous.

Nous, sommes sans armes, mais nous avons la force invincible de notre jeunesse, la force irrésistible d'être cense vivants, de faire des morts, et à cause de cela nous savons que nous réussirons.

Devant nos ambitions les adultes sourient, un sourire qui dissimule mal une certaine peur. En réalité ils ne comprennent pas !! Naïfs, ils s'étonnent de voir surgir une jeunesse tumultueuse, révoltée, farouche qui leur réclame des comptes.

Ils n'avaient pas songé à cela !

Ils avaient cru qu'il pourrait aisément faire main-mise sur nous, canaliser notre fougue à leur profit, nous exploiter indéfiniment... et nous leur échappons.

Alors ils nous accablent.

Que leur voulons-nous ? Pourquoi nous révolter ? Que sommes-nous capables de faire tout seuls ? Nous sommes des faibles, des impuissants, nous sommes légers, inconstants, nous ne pourrons rien créer de solide...

C'est vrai, mais à qui la faute ?

Qui nous a appris à être des hommes ?

Ne nous comprend-on pas plus soi-tignez c'est émettre votre propre condamnation, la faillite de votre éducation.

Et vous voulons-nous ? Mais nous libérer de vous.

Notre éducation ? C'est « tout seuls », maintenant, que nous la faisons. Nous la bataille et dans la lutte. C'est au milieu de l'infâme chaos de votre civilisation que nous apprenons à être des hommes.

Et vous ne cherchez pas à nous faciliter la tâche.

Plutôt vous travaillez en danger vous rend devenue nos ennemis. Comment pourrions-nous ne pas être votre ennemis ?

Notre révolte, c'est encore notre faiblesse, c'est vrai. Un jour viendra où forts.

21 avril – Avant hier soir mon départ théâtral de Clg Pragane.
à noter que adieu à Jean.
hier – suis en colère avec moi-même. J'écris mon amour pour Jean.
Espère une visite ou une lettre. Sue tout est prévue dans mon geste.
Aujourd'hui. Dépit de n'avoir vue ni Pragane ni Jean. Été à
"Vu et Lu". et au Casino. En somme je désire à cheter mes amitiés.

Si Jean ou Pragane n'ont reparu demain, je téléphone
rue Breithal.

23 (Dimanche) Téléphoné à Jean. Vu à Source. Il me dit que
Pragane ne lui a pas communiqué ma lettre. Après
maints circon... – avoué mon amour à Jean. Dinette
que vient troubler M.L. et qu'achève en grande gêne
l'arrivée inopportune de Pragane et Simone

Je songe que demain, je dirai à Jean qui m'a demandé mon
opinion sur la maison : Ibis, est inhumaine. Elle est
trop la Vie et l'Amour, je la voudrais vie et amour.

Promenade à Ville d'Avray. Attente à la porte Dauphine. Jean est
ridicule avec sa bagnole – Son mouvement d'orgueil "Songez que vous
téléphonez à Jean Walla" – Arrêt au restaurant qui ne peut accepter nos
prix. Dîner. Retour. Malaise intense. Ma guérison !

5. Fragment de journal de Jean Genet, avril 1933.

6

7

8

6. Ibis en 1933, l'année de sa rencontre avec Jean Genet.

7. Couverture de *Smara*.

8. Michel Vieuchange en 1930 à Tigilit, au retour de son premier raid.

9. Première page de la *Lettre à Ibis*, mai 1933.

CHEZ LES DISSIDENTS
DU SUD MAROCAIN ET DU RIO DE ORO

SMARA

CARNETS DE ROUTE
DES
MICHEL VIEUCHANGE

Publiés par
JEAN VIEUCHANGE
Préface de PAUL CLAUDEL

LIBRAIRIE PLON
PARIS

16ᵉ mille

Lettre à Ibis.

Mon intention d'abord fut de vous prier de parler du voyage de Michel Vieuchange à Smara. Cela serait me dérober. J'ai conscience qu'il revient à un "blédard" amoureux du plus loin de dire ce qu'à été l'œuvre du jeune aventurier qui, dans son génie précisément exalté, puisa telle folie, telle exaspération du désir, qu'il s'accomplit.

S'accomplir, voilà! Devenir soi dans son œuvre. Michel Vieuchange n'est plus à présent qu'un voyage à Smara.

Tous, m'avez-vous dit, connaissons ce besoin d'aller ailleurs; nous pensons nous fuir en fuyant le cercle plus ou moins vaste où nous dégageons tant de nous-même que l'air en est irrespirable. Nous voulons une atmosphère vierge de nous.

Michel Vieuchange n'a pas voulu fuir, mais aller. Aller là, pour savoir, peut-être assouvir une espérance. Mais sa randonnée est une œuvre d'art et l'œuvre d'art n'est pas une fuite. Considérons donc Vieuchange en tant qu'artiste et artiste de génie.

Quand des jeunes hommes créent de telles œuvres, ils en meurent, exténués, épuisés.

10

11

10. Carte postale envoyée de Sens, 21 juin 1933.

11. Carte postale d'Albanie, 4 juillet 1936.

12. Jean Genet en mars 1939.

13. Ibis à la fin des années quarante.

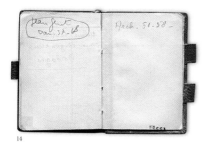

14. Agenda de l'année 1953 ayant appartenu à Ibis. Dans la partie « Adresses et téléphones », Genet a écrit son nom et son numéro de téléphone.

15. Lettre de Jean Genet à Jacques Plainemaison, Rabat, mars 1984.

14

Rabat le 7-3-84

Jean Genet

Cher Mounir,

J'ai connu Ibis en effet et j'ignorais sa mort. Senarga je l'ai lu aussi, malheureusement les projets d'articles dont on me parle ne me disent plus rien, même le nom de Michel Vinaley c'est parce que on me le répéta qu'il me redevient familier. Et Jean Walla ne me dit plus rien plus.

Si je vais en France, je vous rencontrerai très volontiers, mais on me parle d'une époque très lointaine (je dois avoir 28 ou 25 ans ?) et je ne souviens de peu de chose. Je suis très vieux, très seul mais très heureux d'être seul et vieux ? Peut-être,

X vise salut X

Jean Genet

15

8

Cette lettre porte de chaque côté de la demi-feuille la même adresse rayée :
«J. Genet, 42 Boulevard Émile Sicard, St Giniez, Marseille ». Genet logeait
donc à l'École libre de Provence, autrement dit au collège des jésuites de Mar-
seille, où il avait demandé un emploi (A. Dichy et P. Fouché, op. cit.).

[fin juin 1933]

Ibis, Aziz Alia*, vous ne répondez pas à mes lettres. Oh !
peuchère. Je suis en Marseille, irrésolu quant à l'embarque-
ment. En vérité, j'attendais et attends encore un mot de
vous. Pourtant, il est bien évident que j'embarquerai mercredi prochain (5 juillet) même si je n'ai pas de réponse.

Peut-être n'avez-vous pas reçu mon flamboyant appel issu
de la Cité des Papes ? En quel cas je le renouvelle. *Ça* se cica-
trise. Mais pourtant, vous qui connaissez ma nature inquiète
et méfiante (heula !) ne voudrez pas ne pas me répondre.
Oh ! dites, Ibis ?

Je hante un couvent de Jésuites et j'ai d'amples discus-
sions avec le R. Père ministre[1] que j'embarrasse fort avec

le «mystère» du Bien et du Mal, du libre-arbitre, et autres foutaises.

Chaque jour, me voit la mer, la mer qui pue le varech et les poissonnières. Oh! Ibis, j'adore la mer parce qu'elle sent les poissonnières.

Un mot, please.

Baisers au front.

Et...? comprenez?

J. GENET

* Littéralement: Chère de moi. [*Note de Genet.*]

NOTE

1. Né le 28 octobre 1891, le père Robert Baillet exerça pendant presque toute sa vie de jésuite la fonction de «procureur» (chargé des questions financières), auxquelles il adjoignit celle de «ministre» (chargé de la gestion intérieure d'une maison), notamment au collège de Marseille, dans le quartier de Saint-Giniez, où il resta de 1932 à la guerre. Il est mort à Lyon le 31 décembre 1957. Ce n'est pas parce qu'on l'a vu dans toutes les maisons où il est passé se dévouer à l'accomplissement des tâches les plus humbles que l'on doit se méprendre sur son activité spirituelle, selon la notice nécrologique qui lui fut consacrée dans le bulletin des jésuites de la province de Lyon.

9

Gente mye, je reçois très tard votre lettre. Or, n'ayant pu résister au désir de vous dire un mot (fût-il désagréable), j'avais griffonné la petite feuille que, très probement, je vous envoie[1]. Bien sûr que je l'annule. En vérité, 'Bis, me voilà bien heureux de savoir qu'enfin, vous habiterez quelque part. Vous voilà à l'abri pour 3 mois. Car, voyez-vous, la position de l'ibis sur le marécage (une patte repliée sous son aile) n'est pas celle qui vous convient. Quand on veut rompre avec le mol abri, il faut alors se jeter à *corps perdu* dans la vagabonderie, s'abandonner à la merci de quoi ? s'abandonner, simplement. Mais si quelque attache demeure, oh ! l'angoisse de n'avoir pas d'abri !

Pourtant je vous soupçonne d'avoir, avec Joè[2], une situation critique. Va-t-il mieux ? Toujours, je me suis demandé pourquoi cet homme au grand front qui veut les embruns et les souffles (oh ! oh ! du lyrisme !) se contente d'un café-crème au fond d'un bar où ruent maints esprits chevrotants. (Figurez-vous[3], 'Bis, que jamais je n'arriverai à écrire simplement. Oh ! la chose n'est pas drôle, sachez-le. Je pédantise. Enfin, comme j'espère que mes tours, tourloutoutou, mes tours styliques vous feront sourire, je me console d'en faire. Et puis, quoi, il faut bien à chacun sa marotte et son vice : certains ont l'opéra (avec un petit o) (comment écrivez-vous o ?), certains ont le surréalisme ; j'aurai la grandilophilie. Et j'ai grand-peur qu'encore vous pensiez que je brode pitoyablement sur un thème inepte, pour remplir mes pages. Or je vous veux punir d'avoir eu cette pensée car, ô très sage, ce qu'au monde je préfère, c'est la feuille intacte. Et j'en veux salir, des intactes. Et j'en veux salir, des feuilles. Et d'intactes feuilles, et des feuilles intactes. (J'en ai fini du moment fou. Re-soyons digne.)

Re-soyons digne et vous disons : que je ne veux écrire maintenant à R. Guilbaud[4], bien que j'en cuise d'envie. Mais j'avais décidé de ne le faire qu'en Tunisie, et parole de monstre énervé d'impudeur, je ne le ferai qu'en Tunisie. Toutefois (comme on dit dans le code civil et criminel), jetez-lui à flots mes amitiés. SI vous le rencontrez. J'embrasse Ginette. Oh ! chère Ginette, à qui je n'écrirai que plus tard[5] ! Quand je lui disais que je l'aimais, j'étais sincère. Et quand elle répondait « moi aussi, Jean, je vous aime », elle était légère[6]. Enfin, je l'aime tout de même.

La Mer ! Et Marseille. Et du linge au soleil, du linge qui sèche et claque au mistral ! Et tel bordel rue Bouterie[7] ! Et la Vierge d'Or au sommet du roc ! Et le hâle qui baigne tous les visages (Regardez mon tout – dans tous les visages – Trouvez-vous pas qu'il ressemble à certain abbé de campagne[8] ?)

Vous savez, Ibis, j'ai beaucoup de choses très sérieuses à vous dire, mais je *ne veux pas* maintenant. Nous verrons plus tard, surtout soyez-moi une sœur, c'est cela, Ibis, une sœur. Alors, j'ai la paix. Si je rentre à Paris, je vous verrai, j'y vivrai[9] un mois chez vous. Je me plais à rêver de cela. Ce sera dans un an, ou dans 2, peut-être ne sera-ce jamais, mais je sais que je vous ai, ma sœur, et que vous m'aimez. Merci.

Décidez de ce qu'il faut dire à Raymond Chatel. Peut-être ne faut-il rien dire. C'est un moment de désespoir que j'avais eu à Avignon. C'était amer au goût et rugueux au toucher. C'était aussi nauséeux. Un effondrement. On voit le Bonheur et l'Amour s'en aller loin. Tant qu'on les aperçoit... et c'est longtemps encore qu'on les aperçoit. Je parle comme une midinette. Et comme une midinette d'une amourette. L'amour est pour tous semblable (je veux dire, la blessure d'amour). Et ça fait mal encore. Bon. Excusez-moi, Ibis, de n'avoir su écrire que des babioles insanes. J'aurai plus tard des proses incandescentes au milieu des rosées et des triolets frais parmi les sables rouges (hi! hi! hi! hi! Quelle chateaubriandise que voilà donc!).

Un mot encore avant Tunis. Je suis chez les Jésuites de Sᵗ-Giniez où je vais rester jusqu'à épuisement d'une tentative de conversion.

Je vous aime.

J. GENET

NOTES

1. Le mot qui précède (lettre 8), qui n'avait pas été envoyé à Ibis, lui a donc été envoyé en même temps que cette lettre. Tous deux ont été écrits au crayon et sur le même type de papier que les lettres 1, 5 et les deux états de la *Lettre à Ibis*.

2. Il faut lire «Johé», ami d'Ibis (voir notre présentation, p. 13).

3. La parenthèse qui vient d'être ouverte paraît se prolonger pratiquement jusqu'à la fin du paragraphe.

4. Écrit par Genet « Guilbault ».

5. Écrit par Genet « plutard », ici comme plus loin dans la lettre.

6. Guilbaud, dans sa lettre du 2 mars 1934 à Ibis, évoque Ginette « enveloppante et minaudant » (carte postale n° 6, note 1).

7. La rue Bouterie, à proximité du Vieux-Port, fut détruite en 1943. Elle était effectivement, à l'époque où Genet l'a connue, le centre du quartier réservé de Marseille.

8. Le sens de cette parenthèse ne nous paraît pas clair.

9. Sans doute faut-il comprendre : « vivrai ».

10

Restaurant des Rives d'Or. Var.

Un restaurant est un endroit où l'on se restaure. Pardonnez-moi, Ibis, de ne vous écrire encore que de cette sale France que je hais et où des circonstances – que je vous avouerai plus tard – m'obligent à demeurer quelques jours encore. Eh oui !

Peut-être certain Père Jésuite, de qui je vous parlerai longuement certain jour, est-il cause de ma Franciserie. La côte est admirable, Ibis, et vous n'en doutez pas. Tant admirable que je me sens honteux de vous en parler de Saint-Tropez, tout peuplé d'artistes. Hou ! Hou ! De bourgeois en goguette qui mettent l'ordure dans un des plus sveltes paysages du monde.

Ah ! que je comprends, Ibis, que je vous aimais. Jamais, autant qu'ici, je ne l'ai su. Et vous aviez une affection tellement chaude. Oh ! dites-moi que je la retrouverai en rentrant à Paris.

Où je vais ? Sais-je ? En Corse ? Italie ou Tunisie ? La vérité c'est que, voyant que tout effort pour aller là plutôt qu'ici ne sert à rien, j'ai pris parti de n'aller plus, désormais, que là où j'irai.

Je vous suppose rue Treilhard et je suis aise de penser que vous résidez[1], enfin. Aimez-moi bien, Ibis, vous savez que je le mérite parce que je souffre. Ah! j'ai besoin d'amour. Il m'est si bon, si calme de dire: J'ai Ibis. Et c'est d'une telle sécurité!

Je me noircis, me durcis au soleil. Bref, je deviens hideusement, je cuis. On me conseille de n'entreprendre mon voyage – départ de Gabès ou Sfax, que vers la mi-septembre.

Si j'ai passeport pour Italie, serai le 25 juillet Civita-Vecchia – jusque-là à Cannes où vous pouvez m'écrire – *Où vous m'écrirez* poste restante[2] –

Que vous dirais-je de Raymond Chatel? C'est sa pensée avec la vôtre, Ibis, qui me fait vivre, aller pour revenir. Mais c'est sa pensée seule qui me fait *vouloir devenir*. Parlez-moi de lui, longtemps. Parlez-lui.

Ma sœur, je t'embrasse.

J. GENET

NOTES

1. Ibis a dû emménager au siège de *Jeunes* (voir lettre précédente).
2. Toute la fin de ce paragraphe, depuis «juillet Civita-Vecchia», a été rayée.

11

Nice, le 26 [juillet 1933]

Ibis. Pardonnez-moi d'être resté si longtemps silencieux.
Il faut mettre la faute de cela sur une assez sotte disposition,
une sévérité envers moi-même, butée, têtue plutôt qu'éner-
gique, qui m'avait fait me promettre de ne vous écrire
qu'hors de France. Et ce « hors de France » que je croyais très
prochain a été reculé par la rencontre heureuse d'un Père
Jésuite. Je ne pouvais négliger l'occasion qui se présentait de
m'évader un peu de mes préoccupations sentimentales. Je
l'ai quitté, il y a une dizaine de jours, et brisé l'itinéraire de
mon voyage : je traverserai l'Italie. Ne vous avais-je pas parlé
d'un tel projet ? Je crois que si. Seulement une assez sotte
malchance m'oblige à attendre jusqu'à demain un passeport
que j'eusse cru[1] plus rapide. Mais j'ai dû me faire délivrer
une carte d'identité par l'autorité militaire, écrire à l'A.P.[2]
pour le passeport proprement dit, attendre ici le visa de la
Préfecture et jusqu'à demain celui du Consulat italien.

Évidemment, vous allez bien. Je le désire tellement qu'il
ne peut en être autrement. Et le plus sot, c'est que je ne

peux encore vous demander de vos nouvelles, ne sachant pas où je m'arrêterai. Mais je me propose un long arrêt à Gabès.

Ibis, vous le pensez bien, j'ai longtemps et longuement songé à vous et songé avec vous. D'abord, tout est si trop beau qu'on se lasse du paysage. On se réfugie chez ses amis, et comme mes amis c'est vous, Ibis, je demeure constamment avec vous. Merveille de l'imagination, du pouvoir de transposition ? Souvent je regarde la petite photo que j'ai de vous. Nous restons, vous et moi, au bord de la mer, et nous nous noircissons. Le soleil est dur, il brutalise. Et la mer occupe trop de place : elle accapare le paysage. Il est environ 4 heures (16 heures), tout grille !

Quelques aventures. À peine intéressantes. Fors, peut-être, la rencontre à Ventabrun[3] d'une Italienne de 18 ans, brune infiniment, jolie et qui rougit de plaisir quand on le lui dit, ce qui est bien agréable. Un jeune Italien, très laid, 15 ans, a une voix de pêche mûrie, une voix voluptueuse qui chante de fantaisistes airs d'« Opera Grande ». Ma gueule est effrayante de dureté que lui a donnée le sel et le soleil. Rencontré jeune (il n'a pas 20 ans) Autrichien venant d'Espagne, globe-trotter un peu bêta. Et la vie passe. L'important, voyez-vous, Ibis, c'est que la vie passe. Qu'importe ce qui est passé. Mais le reste ! Oh ! ce reste. Songez que nous avons peut-être 60 années encore à vivre. C'est décourageant. J'en arrive à me dire : Bah ! encore un mois de passé, il s'agit de continuer et la fin vient. Pour moi, la vie est un tonneau qu'il faut vider, ça n'est pas drôle à faire, mais quand un verre est bu, on dit : « enfin, encore un de moins à boire ». J'ai tout à fait l'impression d'être un mort. Un mort au milieu de toute cette vie, moi que l'agitation éternelle des flots rend malheureux et qu'exaspère l'éternel mouvement des mondes. Où est votre Vie ? Ibis, la Vie que je sais, qui est en vous et en vos amis[4] ? Je suis mort. Que me dira le désert ? Oh ! du sommeil !

Vous croyez à mon amitié, Ibis. Pardonnez à ma sotte *tenacity*.

Raymond Chatel… oui, aussi. Mais je commence à m'habituer, hormis bien sûr les moments cafardeux. Ça crispe encore. J'en ai beaucoup parlé au Père Baillet[5], qui m'a un peu consolé (hélas comme il sait le faire, mais pas trop en catholique non plus qu'en Jésuite). Un jour, je vous parlerai de lui qui m'aime beaucoup. Et vous avez raison : il suffit de se croire aimé pour l'être réellement. Aimez-moi bien.

J. GENET

Je joins à cette feuille une autre écrite à Saint-Tropez[6].

NOTES

1. Genet a écrit « eus cru ».
2. L'Assistance publique.
3. S'agit-il de Ventabren, entre Aix-en-Provence et l'étang de Berre ?
4. Peut-être n'est-il pas inutile de mentionner que Camille Bryen (voir lettre n° 6), fréquenté par Ibis et par Genet, dans un article publié dans le n° 5 de la revue *Fontaine* (août-septembre 1939) et intitulé « Le risque poétique », tient l'« aventure poétique » pour la « vraie vie ».
5. Voir lettre 8, note 1.
6. La lettre précédente.

1 2

Malaga [janvier 1934 ?]

Ibis,

Parlons longuement de vous. Robert Guilbaud[1] m'écrit votre odyssée au pays de l'oiseau qui est vous-même, chère Ibis[2]. Que vous arrive-t-il, car on me dit que « depuis Alexandrie, Johé[3] est parti de son côté » ? Êtes-vous seule en Égypte ? Seule et malade ? Oh ! écrivez-moi bien vite, que je sache enfin. Malgré tant de misères, je crois que votre voyage aura été un beau voyage, puisque riche en événements. Je vous dis des banalités, mais nos voyages sont ce que nous-même sommes, et les vôtres ne peuvent être que riches. N'êtes-vous pas, vous seule, une aventure ? Mon grand désir et ma première idée ont été de vous aller rejoindre ; la maladie me retient ici, elle m'a tellement affaibli que je ne sais si je vais continuer mes vagabonderies. Pourtant, j'espère un bateau pour Oran, et retourner en Algérie. Vous verrez donc sans moi la Syrie que j'aurais tant aimé vous faire visiter[4]. Je ne doute pas que l'Égypte ait plu à l'Ibis que vous êtes et je me rappelle l'espèce d'anxiété pieuse qui était mienne quand, pour la première fois, sur le « Mariette-pacha[5] », je touchai cette même Alexandrie. Sans doute verrez-vous Damas. Ah ! que je voudrais que cette « perle de l'Orient » vous plût comme à moi ! Mais vous interviewez des leaders, qui sont en général de gros « ephendi[6] » très laids, bagués et lunettés d'or. Il est vrai qu'il faut aussi gagner de l'argent. Vous ne manquerez pas de tuyaux pour vos reportages[7], et pourtant permettez que, sans pédanterie, je vous signale une incursion chez les Druses (Soueda[8]) et à Alep, où se trouve un grand monastère musulman. Paule Henry-Bordeaux déjà avait parlé des Druses[9], mais ce sont des gens qu'on ne connaîtra jamais beaucoup.

M'en voulez-vous beaucoup de mon silence ? Mais, plutôt que mon ingratitude, accusez des circonstances imbéciles qui m'ont longtemps empêché. Votre souvenir, Ibis (et une très petite photographie) m'ont partout suivi, et de notre séparation, vous n'avez pas autant souffert que moi. Mes tribulations, je vous les dirai plus tard ; vite aujourd'hui, je vous envoie ce mot puisque c'est enfin que j'ai votre adresse. Mais s'il faut que les séparations révèlent les affections, oh ! que celle-ci m'aura montré combien je vous aime ! Et vous-même, Ibis, aimez-moi. Écrivez-le-moi. Surtout, n'est-ce pas, écrivez-moi bien vite, bien longuement de vous ; dites-moi toute votre aventure. Je fais cette lettre au bord de la mer et le vent y souffle, malgré un soleil tous les jours assez vif. Les Espagnols salissent un bien beau pays – je les hais, ils sont méchants, et je pourrai jamais aimer que la bonté[10].

À Beyrouth, resterez-vous longtemps ? Quant à moi, j'irai certainement (dans un mois ½ environ) en Palestine et continuerai… (mais non, je ne sais pas).

Mon amie, mon amie très chérie, pardonnez-moi mon silence, aimez-moi et permettez que je vous embrasse.

JEAN GENET
Poste restante
Algésiras[11]
Espagne

NOTES

1. Écrit par Genet «Guilbault».

2. Ibis embarqua pour l'Égypte à Marseille le 16 septembre 1933, débarqua à Alexandrie le 22 septembre. Elle en repartit pour Beyrouth le 5 février 1934 et était de retour à Marseille le 18 avril.

3. Voir notre présentation, p. 13, et lettre 9.

4. En 1930, Genet avait effectué dans les troupes du Levant un séjour à Damas, premier contact avec le monde musulman.

5. C'est sur ce même bateau que Gide se rendra à son tour en Égypte en 1939 (inédit publié par Martine Sagaert dans le *Journal* de Gide, Paris, Gallimard, «Bibliothèque de la Pléiade», 1996-1997, t. II, p. 640-641).

6. *Ephendi* (ou *efendi*) est un titre d'honneur, d'origine turque, signifiant «monsieur». Il est employé ici ironiquement pour désigner un homme qui se donne de l'importance : un «monsieur bien», c'est ainsi qu'Ibis traduira le terme dans son journal de voyage.

7. La correspondante de Genet était partie pour l'Égypte, la Syrie et le Liban avec l'intention de faire notamment un reportage sur la condition féminine dans ces pays, ses autres centres d'intérêt étant le conte et les bijoux.

8. Soueda (ou Soueyda, Souwaida...) est une ville du sud de la Syrie, à majorité druse.

9. Par exemple dans *Une princesse babylonienne chez les Druses* (Paris, Plon, 1928).

10. Comprendre : « je ne pourrai jamais aimer que la bonté ».

11. Genet avait d'abord écrit « Malaga ».

13

Ibis bien aimée,

Vous savez bien que je vous aime et je me suis désolé longtemps de n'avoir pas votre adresse. Enfin je vous tiens. Enfin. Et pour apprendre que vous souffrez. Chère Ibis. Il est des occasions où la plus intense tendresse sans doute ne sert à rien. Et j'enrage de ne pouvoir vous apporter aucun soutien tant j'ai de mal moi-même à vivre. Tout simplement vivre : en matière et en esprit. Et j'ai bien souvent le désespoir[1] de crever.

Pauvre chère Ibis, mon mal est sans doute plus grand que le vôtre (trouverez-vous ici quelque consolation ?) puisqu'il est d'abord le vôtre et ensuite le désespoir d'être vivant.

Comment vous dire ? Quoi vous dire, Ibis, je me désole aussi en commettant mille actions avilissantes, en vivant dans une infecte puanteur morale. Tenez, je vais vous dire : j'ai envie de *me vomir*. Il semble qu'après tout irait mieux. Je serai plus propre. Nettoyé. Seulement voilà, je colle tellement à moi que rien ne m'en pourrait arracher.

Oui, j'imagine votre vie d'après le ton de votre lettre. Et je sais que, pour vous abattre, il faut frapper dur et longtemps.

Mon Dieu, Ibis, je ne sais pas, non, non, je n'aurai su trouver aucune consolation, aucun apaisement avant la fin de cette lettre ! Pardonnez-moi et surtout ayez pitié de moi. À mon âge il est monstrueux de se plaindre, mais je n'ai pas d'amis. (M'aimez-vous encore et m'avez-vous aimé jamais ?) Non, je ne sais quoi vous dire sinon que je vous aime et que jamais je ne vous oubliai puisque je suis revenu en France pour vous voir.

On m'a dit quelque chose de votre odyssée au pays du Sphinx. Que pensez-vous des voyages, Ibis ?

Tenez, je sens que je vais bavarder. C'est idiot, c'est niais. Je suis honteux. Il m'apparaît que tout discours est indécent et que vous devez percevoir que je vous aime – à je ne sais pas quoi qui ne se dit pas.

Vous vous plaignez, Ibis, et je vous aimerais davantage, s'il était possible. Mais je ne suis pas pathétique. Mon désespoir est calme, il se moque de mon désespoir. C'est ainsi. Mais je n'en ai pas moins, pour cela, envie de me bouziller.

Il ne s'agit pas à proprement parler de misère – mais je suis las. Et je ne vis pas plus qu'avant. Non, je suis désespéré.

Parlez-moi longtemps, vous, Ibis. Pour moi, je ne puis que vous écouter. Vous êtes ma sœur. Ibis, je vous en prie, parlez-moi longtemps. Dites-moi votre vie. Dites-moi ce que fut votre année qui vient de passer. Et si vous en avez l'occasion, parlez-moi un peu de lui. Vous savez. Oh ! c'est presque fini. Non. Rien n'est fini. Mais c'est un étrange état que je ne saurais vous dire.

Pourquoi ne tenteriez-vous pas de quitter Paris ? Je crains bien d'être obligé de gagner la Hongrie avant de pouvoir aller à Paris. Vous ne savez pas que j'ai été en Autriche, Suisse (où souvent j'ai pensé à vous[2]), en Italie. En Espagne, j'ai failli mourir et à Montpellier j'ai pu me reposer 2 mois. Pour de nouveau être malade à Toul. Je ne sais si Robert Guilbaud[3] vous a dit cela. Il est très chic, Robert Guilbault, mais il ne m'a pas répondu. Laissez, laissez que chacun m'abandonne. C'est bien le moins qu'on me puisse faire.

Ibis, écrivez-moi de longues lettres, des lettres qui feront mon désespoir s'apaiser. Ibis, je vous aime.

JEAN
Nancy. Poste restante.

NOTES

1. Genet avait d'abord écrit: «la tentation – non, le désespoir de crever».

2. Allusion au séjour en Suisse que sa correspondante avait fait à la fin des années 1920.

3. Écrit par Genet «Guilbault».

14

Ibis,

Ne pensez pas trop de mauvaises choses de moi. Seulement je ne sais rien vous dire pour m'excuser. Ma blessure (au bras) n'a pas été grave, elle ne m'a donné aucune fièvre ni aucune prison[1]. Alors mon silence n'a pas d'excuse.

Je sais tout ce que je vous dois, Ibis, et je ne puis guère vous parler de dette, il suffira que je vous la paie un jour.

Écrivez-moi, je (mon papier sera taché à cause du vent et d'un pêcheur indiscret mais beau) vous en prie, dites-moi votre travail et les suites de votre exposition de peinture distinguée par la Ville de Paris[2].

Pour moi, appelé toujours par le Sud, je vais sans doute traverser l'Italie qui m'emprisonna. Et alors peut-être serai-je d'aplomb pour commencer ce grand voyage dont je rêve depuis un an.

Haïssez les pêcheurs, Ibis, ils sont stupides.

Je ne sais si vous connaissez Nice, alors j'hésite à vous en donner des nouvelles. Sachez seulement qu'elle a très bonne mine le jour mais de lourdes nausées vers le soir : le soleil trop dur sans doute, et puis peut-être qu'elle[3]

Où passerez-vous l'été ?

Le cabinet rouge[4] aura-t-il quelque répercussion heureuse sur votre vie… (je cherche un mot et je ne trouve que cet absurde « contingente ») ?

Si la lettre est mouillée, c'est la faute à l'écume. La mer est de plus en plus grosse.

Au revoir, Ibis.

Je vous embrasse bien affectueusement.

JEAN GENET

J'ai retrouvé mes brahmanes de l'an dernier. Vous avais-je parlé des pâles apprentis curés qui méditent copieusement sur les théologies – face aux Immensités Marines et Célestes – au Séminaire devant lequel je passe tous les jours pour aller à une minuscule crique (une trouvaille à moi) ? Mes Brahmanes ont des gueules pâles et des bouches serrées, ils ont, même à midi, de longues lévites noires. J'ai des sueurs chaque fois que je les vois. Ah ! les pêcheurs sont consolants !

NOTES

1. C'est au début du mois d'avril 1936 que Genet s'est démis le bras, accident à la suite duquel il a fait un séjour à l'hôpital militaire du Val-de-Grâce, à Paris, où l'accident avait dû avoir lieu (A. Dichy et P. Fouché, *op. cit.*). Genet veut dire sans doute qu'il a échappé à une peine de prison, bien qu'il ait été en permission irrégulière.

2. Un tableau peint par Andrée Plainemaison et intitulé *Paysage de*

montagnes avait été acheté par la Ville de Paris au prix de 1 000 francs. La lettre du directeur des Beaux-Arts de la Ville de Paris informant officiellement le peintre est datée du 12 juin 1936.

3. Genet a laissé inachevée cette phrase.

4. Nous ne savons pas à quoi Genet fait référence ici.

15

Carte postale représentant une femme et deux enfants vêtus de costumes tra-
ditionnels adressée de Tirana (Albanie) à « Madame Ibis Plainemaison ».
Le cachet de la poste indique la date du 4 juillet 1936.

Bonjour d'Illyrie.

J. GENET

16

Chère Ibis,

Je regrette bien d'avoir reçu trop tard votre lettre. C'est avec un grand plaisir que je vous reverrai. Toutefois je ne crois pas descendre vers Cannes avant l'été. Je vous aurai vue à Paris avant. Pourquoi ne vous reconnaîtrais-je pas? Vous êtes la même que j'ai vue à la générale de la pièce du Castor[1], ou que vous est-il arrivé? Moi, je vais bien. Enfin, ni bien ni mal. Je vis comme je peux. Je m'ennuie plutôt. Peut-être irai-je en Allemagne pour quelques jours, et peut-être non. Je vis dans l'indécision. À Cannes je fais construire une maison pour le gamin brun que vous avez vu avec moi. Mais vous l'aurez oublié. De tous mes amis d'autrefois je ne vois personne. Je vis très seul et très triste. Le gosse est marié. C'est son seul bonheur qui me préoccupe. J'ai enfin trouvé un but à ma vie : organiser l'existence d'un petit pêcheur de 20 ans[2], et en faire un petit homme. Comment va votre fils et quel âge a-t-il aujourd'hui?

Chère Ibis, je vous embrasse.

Écrivez-moi. J'aurai toujours la même joie en recevant vos lettres – en attendant de vous revoir.

JEAN GENET
36, rue Montpensier
Paris

NOTES

1. On sait que *Journal du voleur* est dédié «à Sartre, au Castor». C'est à la fin du mois d'octobre 1945 que furent créées *Les bouches inutiles,* la première et la seule pièce de théâtre du Castor, autrement dit de Simone de Beauvoir, qui, dans *La force des choses,* mentionne Genet, à côté de qui elle était assise pendant «la couturière», répétition qui précède «la générale», et ses critiques à propos de la pièce (Gallimard, «Folio», t. I, p. 77). La première de la pièce ayant été jouée le 30 octobre 1945, une rencontre entre Ibis et Genet a eu lieu peu avant cette date au Théâtre des Carrefours, devenu depuis le Théâtre des Bouffes du Nord.

2. Dans *Journal du voleur,* Genet évoque Lucien, «petit pêcheur du Suquet», qu'il appelle aussi, comme ici, «le gosse».

17

Chère Ibis,

Votre lettre me fait le très grand plaisir que vous devinez. J'espère bien vous voir à Paris, que je n'ai pas pu quitter pour Cannes. En effet j'ai eu un tas d'ennuis et pas mal de travail. Je descendrai vers juillet seulement. Vous, vous avez bien de la chance de pouvoir y passer (dans le Midi) tout votre temps.

Cette fois nous nous verrons certainement. Dès votre arrivée, voulez-vous m'envoyer un pneu chez Morihien[1], 11 *bis* rue de Beaujolais. Inscrivez-y votre adresse à Paris. Dans mon désordre j'aurais du mal à la retrouver.

Vous êtes très gentille de m'offrir un petit chien[2]. Je l'accepte et je vous remercie mais, afin que votre voyage ne soit pas gâché par lui, voulez-vous le garder. Je le ferai prendre vers le 15 mai par un ami.

Ma chère Ibis, je vais bien, mais vous trouverez un type bien las, bien triste, bien ridé. J'ai vieilli, affreusement.

Enfin, vous verrez. Moi, je me fais une joie de vous revoir. En attendant, je vous embrasse.

JEAN GENET

1. Paul Morihien édite *Querelle de Brest,* avec vingt-neuf dessins de Cocteau, en 1947.

2. En 1945, Johé, que Genet a déjà mentionné dans les lettres 9 et 12, avait offert à Ibis, qui vivait alors dans le Midi, près d'Aix-en-Provence, un petit bouledogue bringé, Thomas. C'est un petit de Thomas qu'Ibis propose à Genet.

18

Chère Ibis,

Votre lettre m'est communiquée seulement aujourd'hui. J'ai, vous n'en doutez pas, beaucoup de joie si je vous revois. Voulez-vous me téléphoner avant midi, à cette adresse : J. Genet, RIC. 96. 56. Vous me direz où il vous serait plus facile de nous rencontrer.

En attendant, je vous serre affectueusement les mains.

JEAN GENET

19

Ma chère Ibis,
Voulez-vous être demain mercredi à 3 heures (15 h) au café Dupont, Place des Ternes.
Nous irons chez Denoël[1].
Pardonnez-moi d'avoir tant attendu.
Donnez mes amitiés à votre gentille amie.

JEAN

NOTE

1. Il s'agit de la maison d'édition Denoël.

20

Pneumatique sur carte-lettre portant le cachet de la poste du 21 mai 1948.

Chère Ibis,

Je me réveille après 20 heures de sommeil. Il faut me pardonner. J'ai beaucoup et longtemps travaillé. Je ne pourrai vous voir aujourd'hui : je pars à l'instant pour Luzarches. Toutefois, je vous promets que dans les 15 jours j'aurai vu Colette et Denoël. Et encore que, si avec Denoël ça ne marche pas, je le[1] porterai moi-même à Gallimard ou à l'éditeur qui fait le livre d'enfant de Jean Cocteau[2]. Je ferai, bref, tout ce que je peux. Dites à Madame Rémusat[3] qu'elle est charmante. Elle me plaît beaucoup. Vers la mi-juin je passerai par votre pays.

En attendant, je vous embrasse.

JEAN GENET

NOTES

1. Il s'agit certainement du manuscrit d'un livre d'Andrée Pragane, soit d'un recueil de contes, soit d'un roman resté inédit (le premier roman publié d'Andrée Pragane, *Ma peur est ma lumière*, est beaucoup plus tardif et sera publié seulement en 1972, aux éditions du Mercure de France), mais plus vraisemblablement du *Livre de Petit Thomas*, histoire romancée de Thomas le bouledogue (voir lettre 17, note 2), dont l'édition originale, tirée à 95 exemplaires, sera publiée avec des bois gravés d'André Margat aux éditions du Jaquemart en 1949.

2. Paul Morihien qui, en 1948, édita le livre de Jean Cocteau *Drôle de ménage.*

3. Ada Baret, épouse de Roger Rémusat, minotier à Marseille, avec qui Ibis vivait à Châteauneuf-le-Rouge.

AGENDA 1953

Sur un petit agenda pour l'année 1953, ayant appartenu à Ibis, Genet a écrit de sa main :

Jean Genet Dan. 37. 68.

21

Ibis est décédée le 15 avril 1978. Le 31 janvier 1984, ayant trouvé dans ses papiers les lettres que Genet lui avait adressées, nous avons écrit à ce dernier une lettre dans laquelle nous lui faisions part du décès de son amie et lui rappelions son projet d'article à propos de Smara : « *Vous avez admiré ce raid, cette aventure, qui s'est terminée par la mort de Michel Vieuchange. Vous le dites avec lyrisme, vous qui vous présentez comme "un* blédard *amoureux du plus loin".* »
À cette lettre, qui lui avait été adressée par l'intermédiaire de son éditeur Gallimard, Genet, qui était alors au Maroc, répondit au début du mois de mars, en s'excusant de son retard à répondre par ces mots écrits au dos de l'enveloppe : « *J'ai reçu mon courrier de Gallimard ce matin seulement. J. G.* »

Rabat, le 7-3-84
Jean Genet

Cher Monsieur,
   J'ai connu Ibis en effet et j'ignorais sa mort. *Smara* je l'ai lu aussi. Malheureusement les projets d'articles dont vous me parlez ne me disent plus rien. Même le nom de Michel Vieuchange c'est parce que vous me le dites qu'il me redevient familier. Et Jean Walla ne me dit plus rien non plus.

Si je vais en France, je vous rencontrerai très volontiers. Mais vous me parlerez d'une époque très lointaine (je devais avoir 22 ou 25 ans ?) et je me souviens de peu de chose. Je suis très vieux. Et très seul mais très heureux : d'être seul et vieux ? Peut-être.

Amicalement.

JEAN GENET

ANNEXES

LETTRE À IBIS

(premier état)

Le texte qui suit, non signé, écrit au crayon et dont nous avons retranscrit les ratures, est le premier jet en notre possession du texte écrit à l'encre que nous avons donné. Il en diffère en particulier par un finale que le jeune Genet a dû juger faible au moment de la mise au net et dont il n'a, en conséquence, presque rien conservé dans le second texte.

Mon intention d'abord ~~était~~ fut de vous prier de parler du voyage de Michel Vieuchange à Smara. Cela serait me dérober. J'ai conscience qu'il revient à un blédard amoureux du plus loin, ~~du après cela~~, de dire ce qu'a été l'œuvre du jeune aventurier qui ~~puisa~~ dans son génie ~~telle~~ précisément exalté puisa telle folie, telle exaspération de désir, qu'il s'accomplit.

S'accomplir, voilà. ~~Être n deven~~ Devenir soi dans son œuvre. Michel Vieuchange n'est plus à présent qu'Un voyage à Smara.

Tous, m'avez-vous dit, connaissons ce besoin d'aller ailleurs, nous pensons nous fuir en fuyant le cercle plus ou moins vaste où nous dégageons tant de nous-même que l'air en est irrespirable. Nous voulons une atmosphère vierge de nous.

Vieuchange n'a pas voulu fuir, mais aller. Aller là, pour savoir, peut-être assouvir une espérance. Mais sa randonnée est une œuvre d'art et l'œuvre d'art n'est pas une fuite. Considérons donc Vieuchange en tant qu'artiste, et artiste de génie. Quand des jeunes hommes créent de telles œuvres, ils en meurent, exténués, épuisés. La quantité d'émotion et sensation, il semble, est dépensée qu'il ne ~~vous~~ reste rien. On meurt d'un Bateau Ivre, d'un bal du Comte d'Orgel, d'un voyage à Tombouctou, d'un voyage à Smara.

Le fait d'aller dans le Rio de Oro, chez les maures traqués ne vous semble pas, peut-être, tellement héroïque.

S'il n'était qu'un héros, Vieuchange ne mériterait pas l'amour. Il était un amant. Songez qu'il caressa son œuvre avant de la réaliser, 1 an. Il n'a pas été héroïque parce qu'il n'aperçut pas, bien sûr, les dangers qu'il encourait.

Faire ce qu'aucun n'a fait. Le Hasard aide ceux qui, d'un coup d'aile éperdu, atteignent les cimes de l'idée. Penser que cela… Vouloir que cela… On est allé à Tombouctou plus mystérieux. Caillé, le premier, ~~entra~~ y entrait seul.

Vieuchange a traversé une tribu Berbère farouche entre toutes, les Aït Reguibat.

Réalisez-vous bien toute l'audace de cet acte : aller chez les Chleuhs ! Vous n'avez pas vu le pays Berbère assailli par les troupes imbécilement dociles et mornes de France et d'Espagne, le pays berbère, le « Kel Tamazirgt » violé dans ses repères sauvages, ensanglanté, meurtri, souillé. Ah ! si quelqu'un peut haïr, c'est bien ce peuple effaré, torturé, peuple de pauvres cultivateurs que sont les Chleuhs ! Les abolira-t-on ? demandent l'Espagne et la France, tandis qu'eux, dans un sursaut d'effroi, de désespoir, se défendent jusqu'au sang.

Il est courant de savoir le Berbère cupide et l'on pense qu'il suffisait d'offrir beaucoup d'argent à quelque caïd pour faire que s'aplanissent toutes les difficultés. C'est ce que fit Vieuchange et qui réussit. Cependant la sécurité ainsi acquise n'est que relative si l'on songe que le Berbère est divisé grossièrement par ces 3 sentiments : l'amour de l'argent, de tous le plus solide ; la haine du Roumi, ancestrale et dernièrement aiguisée par les exploits de nos troupes et les cris de révolte des marabouts ; enfin l'hospitalité bonhomme, bonne fille, qui est celle des paysans de France et d'ailleurs.

~~Au travers~~ Les notes rapides de Vieuchange, [*mot barré illisible*] sont, que j'ai lue[1] la plus fidèle analyse de la psychologie Chleuh.

Mais[2] Il s'habille en femme berbère et se voile le visage. Ignore-t-il que les femmes Tamazirgh, musulmanes pourtant, ne sont pas voilées ?

Ses souffrances sont atroces parce qu'il ne connaît rien du bled. Lors de son service militaire, il était resté à Mazagan et un de mes amis, qui fut son camarade, m'en a parlé comme d'un garçon sans grande force physique, qui avait souvent les pieds blessés par les marches. Nous trouvons que ses notes, quand elles ne sont pas d'un fébrile enthousiasme, sont une constante[3] plainte.

Il arrive à Smara où il ne reste pas 3 heures. La petite casbah que fit construire Ma l'Aïnin est abandonnée.

Vieuchange, maître dans Smara, vit une éternité.

Le Retour et la mort à Agadir.

Je ne puis rien vous dire du livre, qui n'est qu'une attente de l'Instant.

Le voyage matériel, vous le saurez. Smara !

… assouvir une espérance…

Quand on est devant l'Atlas – Qu'est derrière ? dit-on. L'Atlas franchi, on voit le pays gris et ocre avec de grands soleils et un ciel énervé. Un ravin. Un autre mont qui fait rêver – Qu'est derrière ? On va. C'est le même pays gris avec le ciel. Le mystère n'est pas dans l'Imazighen mais dans le Berbère cheminant sous les cèdres. Pourtant, on espère un pays ~~inconnu~~ mystérieux. On n'est jamais déçu parce qu'il est banal, mais on veut celui qui est derrière.

Vieuchange savait le bled Berbère, il savait Smara une casbah de pisé, une mechta en pierres sèches.

Aller ! Toujours ! Savoir que tout est semblable et vouloir plus loin.

Aller seul, très pensif, se noircir au soleil et crever sous la lune.

– « Aucun homme avant moi. »
O des Joies très confuses
Et douloureuses !
Désordre d'un moment dans une âme
Équilibrée.
Abjection ! Hideur ! Vanité !
Mouvement infect qui fait vous
Sentir divin !
Michel Vieuchange, au moins
Pendant trois heures dans ta Smara
As-tu su ~~cette~~ ces joies très confuses
Et abjectes et douloureuses ?
Mais tu surmontas le divin de l'instant.
Et tu redevins Homme
Accomplissant sa Volonté !
Victoire ! Homme !

Va, tout cela fut Bien.
Et grand. Et Beau.
Va, nous te suivrons et nous aurons [*mot court illisible*]
La Volonté puisée dans le Génie
Précisément exalté.
Dans ton Génie précisément exalté,
Ô Vieuchange, tu puisas telle folie,
Telle exaspération de désir
Que tu t'accomplis !
J'aurai passé des nuits à mordre
Dans tes pages ardentes !
J'aurai pleuré devant Smara endormie
Au soleil de midi
Et tu meurs quand ton œuvre est fait.
Bien. Tout cela fut bien
Et nous te suivrons, ô Vieuchange.
Dans notre génie précisément exalté,
Aussi nous puiserons telle folie
Que nous irons
Vers des Smaras endormies.
Et disons maintenant ce que tu es Beau,
Beau, dans le désir plein d'envol
Beau, devant[4] la volonté
Beau dans la réalisation
Du désir,
Grand dans la mort très simple.

NOTES

1. Ces quatre mots, se trouvant au-dessus de la ligne, ont été ajoutés.

2. Cette conjonction a été ajoutée à l'encre, sans que Genet pense à remplacer par une minuscule la majuscule du pronom personnel qui suit.

3. Mot ajouté au-dessus de la ligne.

4. Ou : « de par ».

ÉDITORIAL

Cet éditorial, signé Jeunes, *a été écrit par Ibis. Il figure dans le n° 4 daté du dimanche 9 avril 1933.*

Qui sommes-nous? De quel parti politique? Quelle est notre position? Qui nous soutient et pour qui travaillons-nous?

C'est parce que nous sommes assaillis de questions de ce genre, que je crois nécessaire, encore une fois, de préciser notre but et ce que nous voulons faire.

Il est si universellement admis que les jeunes doivent « travailler » – pour employer l'expression consacrée – au profit des aînés qu'il est presque impossible de faire comprendre que nous ne sommes soutenus par aucun parti politique et que nous ne travaillons pour aucun d'eux. Le public ne daigne accepter que ce qu'il peut aisément étiqueter et cataloguer avec des fiches connues. Tout mouvement indépendant et libre le heurte et le choque.

Qui nous sommes? Un groupe de jeunes, dégoûtés d'une civilisation basée sur la violence, la propriété, l'injustice et l'hypocrisie, révoltés contre un régime qui ne sait et ne peut éviter la misère et la souffrance de la plupart de ses membres en face du luxe ostentatoire de quelques autres, d'un régime qui n'a su enrayer le plus terrible des fléaux sociaux : la guerre, un groupe de jeunes qui voulons essayer d'aider nos frères, jeunes comme nous, à construire une société nouvelle, plus harmonieuse et surtout plus juste.

Nous n'avons pas l'enfantine prétention de nous poser en créateurs d'une nouvelle civilisation. Mais pour qui sait voir et sentir il est évident, par le fait même des abus et des souffrances engendrées par le régime capitaliste actuel, grâce surtout à la lente évolution de l'humanité, qu'une ère nouvelle s'annonce basée sur des principes plus justes que celle qui se termine et notre seul but est d'aider, dans la mesure de nos forces, à l'instauration de cette société future.

Nous avons compris que l'avènement de cette société de demain, basée sur la Justice, la Fraternité et la Paix, était enrayé par l'intérêt et l'ambition de quelques gouvernements, de quelques capitalistes conservateurs, détenant actuellement les pouvoirs et ayant tout profit à continuer ce régime d'autoritarisme, d'exploitation de l'homme par l'homme, régime de violence et de haine. Enrayé aussi beaucoup, par l'ignorance, les préjugés, les vieilles doctrines et formules mortes dont beaucoup restent les esclaves.

Aussi nous posons-nous nettement en « révolutionnaires ». Si pour bâtir ce que nous voulons – assurés que doit en sortir un progrès pour l'humanité – il nous faut détruire, nous n'hésiterons pas.

Mais nous ne voudrions pas nous borner à un rôle destructeur et négatif qui reste pour nous un moyen, non un but.

Ce que nous voulons surtout, c'est nous préparer afin d'être capables, après la rafale, de reconstruire quelque chose de valable. Il nous faudra des bras courageux et adroits, des intelligences saines et claires, mais surtout des «cœurs» généreux et désintéressés afin de travailler à établir cette société collective et fraternelle où seule la valeur morale, et non plus la force et la richesse, sera respectée.

Nous savons que nous ne sommes qu'un tout petit groupe. Mais nous savons aussi que nous ne sommes pas seuls, qu'un peu partout, dans le monde, groupés ou encore isolés, il existe d'autres jeunes, conscients comme nous d'une nécessité de rénover la civilisation actuelle et travaillant dans ce but. C'est pour cela que nous avons confiance, pour cela que malgré tout, nous nous sentons forts, parce que solidaires d'eux tous.

Nous ne voulons pas former un parti politique, nous ne voulons pas nous embrigader dans l'un d'eux. Mais nous aimons trop la liberté pour ne pas respecter, et admettre parmi nous, toute opinion politique, si elle est sincère. Et je trouve lamentable de voir des jeunes refuser de nous reconnaître et de collaborer avec nous parce que nous ne sommes pas «inscrits à leur parti».

Que les patriotes belliqueux, les bourgeois, les conservateurs nous attaquent, cela se conçoit. Ils se défendent : ils travaillent pour une cause contraire.

Mais que des jeunes, comme nous, révolutionnaires comme nous, se refusent, pour des détails, et des inscriptions ou des non-inscriptions à un parti quelconque, à nous reconnaître pour frères, nous le déplorons.

Chacun est libre de choisir les moyens qu'il juge les plus efficaces pour réaliser son but. Et je ne vois pas là une raison suffisante pour créer une hostilité entre des êtres poursuivant ce même but.

Il est lamentable de songer que les jeunes, suivant l'exemple de leurs aînés, font entrer dans leurs associations et groupements ce sectarisme imbécile qui, empêchant toute coopération, a entravé l'effort de nos frères, plus âgés, qui servaient la même cause révolutionnaire.

Il faut que les jeunes sachent, eux qui sont sans armes, sans moyens matériels, sans pouvoirs, qu'ils ne seront forts et tout-puissants qu'en proportion de ce qu'ils auront compris la nécessité, l'absolue nécessité de se soutenir, les uns les autres, et de s'unir pour la grande lutte qu'ils ont à fournir. Et qu'ils ne pourront avoir la victoire que s'ils savent oublier de petites divergences personnelles pour se montrer accueillants et fraternels envers tous ceux qui, comme eux, travaillent à la même cause.

JEUNES

Repères biographiques

ANDRÉE PLAINEMAISON

7 octobre 1910 : Naissance à Limoges (Haute-Vienne).

1927 : Obtient son baccalauréat.
Fin des années vingt : Séjour de plusieurs mois en Suisse.
1930 : Habite Paris, où elle met au monde un fils, Jacques.
1931 : Obtient un diplôme de maîtresse de gymnastique. Devient membre de la Société théosophique.
1933 : Fonde *Jeunes* avec J. Walla. Rencontre J. Genet à une date indéterminée. Avril : Quatrième et dernier numéro de *Jeunes*. Septembre : Entame avec Johé

JEAN GENET

19 décembre 1910 : Naissance à Paris.
1911 : Genet est abandonné par sa mère et placé dans une famille à Alligny-en-Morvan.
1923 : Obtient son certificat d'études.
1924-1929 : Genet entre en apprentissage. Il fugue souvent, commet des vols, est arrêté. Il passe deux ans et demi à la colonie pénitentiaire de Mettray.
1931-1933 : Engagement dans l'armée. Affecté dans les troupes du Levant, il est en garnison à Damas en Syrie et obtient le grade de caporal. Engagé dans un régiment des tirailleurs marocains en juin 1931, il sert au Maroc pendant près de dix-huit mois.

un voyage de sept mois en Égypte et au Liban.

1934-1940 : Fait partie comme danseuse du groupe Finkel. En plus des danseurs allemands H. Finkel et Ludolf Schild, tous deux réfugiés à Paris, a pour amis de nombreux artistes : le sculpteur russe Lydia Luzanowsky, le peintre R. Rischmann, le céramiste Philippe Rouart, le poète arménien Harouth Constantine... 1936 : Un tableau d'Andrée est acheté par la Ville de Paris.

1940-1944 : Continue à donner des récitals de danse. 1941 : *Le livre de Petit Jacques*. Apprend et enseigne les claquettes. 1944 : *Neuf contes*.

Avril 1944 : S'installe en Provence.

1944-1953 : Vit à Châteauneuf-le-Rouge (Bouches-du-Rhône). Chaque année, passe un mois à Cavalière (Var). Donne quelques récitals de danse à Paris et à Aix-en-Provence. 1946 : *Manouraïm le conteur, Visages d'enfants*. 1949 : *Le livre de Petit Thomas*.

1933 : Permissions à Paris. Rencontre Ibis et ses amis. Fin de l'année : voyage en Espagne.

1936 : Déserte l'armée en juin. Début d'une année d'errance et de voyage à travers l'Europe.

1937-1942 : Rentre en France en juillet 1937. Longue suite d'arrestations, de condamnations et d'emprisonnements.

1942 : Publication clandestine du *Condamné à mort*.

1943 : Rencontre Jean Cocteau. Publication sous le manteau de *Notre-Dame-des-Fleurs*.

1944 : Rencontre Jean-Paul Sartre.

1945 : Publie *Chants secrets*.

1946 : Publie *Miracle de la rose*.

1947 : Publie *Les bonnes, Pompes funèbres, Querelle de Brest*.

1949 : Publie *L'enfant criminel* et *Journal du voleur*.

Mars 1953 : Retour à Paris, où elle donne des leçons de danse.

1964-1978 : Travaille à l'École alsacienne. 1972 : *Ma peur est ma lumière.* 1976 : *Une poignée de cendre.*

15 avril 1978 : Décès à Morières-lès-Avignon (Vaucluse).

1955 : Rencontre Abdallah.

1956-1958 : Publie *Le balcon, L'atelier d'Alberto Giacometti, Le funambule, Les Nègres.*

1961 : Publie *Les paravents.*

1964 : Mort d'Abdallah.

1967 : Voyage en Extrême-Orient.

1970 : Voyage aux États-Unis, pour soutenir les Black Panthers, en Jordanie et au Liban, pour soutenir la cause palestinienne.

1982 : Publication de *Quatre heures à Chatila.*

1986 : Décès à Paris dans la nuit du 14 au 15 avril. Mai : parution d'*Un captif amoureux.*

ANNEXES

ŒUVRES DE JEAN GENET

Aux Éditions Gallimard

MIRACLE DE LA ROSE, L'Arbalète; Folio n° 887.

NOTRE-DAME-DES-FLEURS, L'Arbalète; Folio n° 860.

POÈMES, L'Arbalète; Poésie Gallimard n° 332.

HAUTE SURVEILLANCE, coll. Blanche; Folio n° 1967; Folio théâtre n° 98.

JOURNAL DU VOLEUR, coll. Blanche; Folio n° 493.

ŒUVRES COMPLÈTES, 1951-1979, coll. Blanche.

POMPES FUNÈBRES, L'Imaginaire n° 34.

QUERELLE DE BREST, L'Imaginaire n° 86.

LE BALCON, L'Arbalète; Folio n° 1149; Folio théâtre n° 74.

LES BONNES, précédé de COMMENT JOUER « LES BONNES », L'Arbalète; Folio n° 1060; Folio théâtre n° 55.

LES NÈGRES, précédé de POUR JOUER « LES NÈGRES », L'Arbalète; Folio n° 1180; Folio théâtre n° 94.

L'ATELIER D'ALBERTO GIACOMETTI, L'Arbalète.

LES PARAVENTS, L'Arbalète; Folio n° 1309; Folio théâtre n° 69.

LETTRES À ROGER BLIN, coll. Blanche.

UN CAPTIF AMOUREUX, coll. Blanche; Folio n° 2720.

LETTRE À OLGA ET MARC BARBEZAT, L'Arbalète.

« ELLE », L'Arbalète; Folio théâtre n° 127.

FRAGMENTS... ET AUTRES TEXTES, coll. Blanche.

L'ENNEMI DÉCLARÉ, coll. Blanche; Folio n° 5135.

SPLENDID'S, L'Arbalète; Folio théâtre n° 127.

LE BAGNE, L'Arbalète.

REMBRANDT, coll. L'Art et l'Écrivain.

LETTRES AU PETIT FRANZ (1943-1944), Le Cabinet des Lettrés.

THÉÂTRE COMPLET, Bibliothèque de la Pléiade n° 491.

LE FUNAMBULE, L'Arbalète.

Ouvrage composé
par Ütibi à Précy-sous-Thil.
Achevé d'imprimer par l'Imprimerie Clerc
à Saint-Amand-Montrond, le 23 octobre 2010.
Dépôt légal : octobre 2010.
Numéro d'imprimeur : 10209

ISBN 978-2-07-078649-7 / Imprimé en France.

154357